EL GRAN LIBRO DE ....

MUESTRARIO

........................DE PUNTOS

Editora: Eva Domingo

Primera edición: 2010
Segunda edición: 2012

Publicado por primera vez en Alemania por Christophorus Verlag GmbH & Co. KG,
con el título: *Das große Buch der Strickmuster.*

© 2009 *by* Christophorus Verlag GmbH & Co. KG, Freiburg
© 2010 de la versión española
   by Editorial El Drac, S.L.
   Marqués de Urquijo, 34. 28008 Madrid.
   Tel: 91 559 98 32. Fax: 91 541 02 35.
   E-mail: info@editorialeldrac.com
   www.editorialeldrac.com

Diseño de cubierta: José M.ª Alcoceba
Traducción: María Soria
Revisión técnica: Esperanza González

ISBN: 978-84-9874-155-1
Depósito legal: M-26.562-2012
Impreso en Artes Gráficas COFÁS
Impreso en España – *Printed in Spain*

Un muestrario de punto con mucho colorido

Si realmente se quiere obtener un tejido original, es imprescindible disponer de un muestrario de puntos. Por eso hemos reunido en este libro las muestras de punto más de moda. Busquen su preferida y realicen con ella una pieza de punto totalmente personal.

En la panorámica de muestras que en este libro se exponen se encuentra desde el clásico relieve a las muestras con puntos de cable, las muestras caladas pasando por las muestras con diseño de rayas, de fantasía y con figuras, y también las clásicas con trenzas y bodoques o las de jacquard, llenas de colorido.

En una breve introducción encontrarán todo lo que tienen que saber para utilizar los esquemas de puntos y los esquemas con números. Todos los símbolos se explican en las páginas 6 a 11; los especiales o que sólo aparecen una vez, se encuentran directamente en las respectivas muestras o bien en la explicación de los puntos.

Para cada tipo de muestras se ofrece al comienzo un pequeño mini curso de punto, que facilita a los principiantes los conocimientos básicos y a los expertos les refresca la realización de unas técnicas más sofisticadas, como por ejemplo los bodoques o las trenzas realizadas con dos agujas auxiliares.

Si se es principiante, lo mejor es empezar por muestras fáciles con unos esquemas de puntos y números poco complicados. Un libro que les ofrece los fundamentos del punto debe ser una ayuda eficaz. También pueden recurrir a alguna experta amiga tejedora para resolver cualquier duda.

Resulta muy divertido hacer pruebas de muestras con diferentes tipos de hilos, colores y grosor de agujas. Observarán cómo cada variación realizada ofrece nuevas características. No teman experimentar antes de decidirse por alguna muestra. ¡Compensa!

Índice

Explicación de los símbolos

Signos referentes a 1 punto

⊞ = Punto orillo.

Ⅰ = 1 punto del derecho.

☐ = 1 punto del derecho o según se indique.

⊟ = 1 punto del revés.

☒ = 1 punto musgo del derecho, pasada de ida y de vuelta, puntos del derecho o como se indique.

◀ = 1 punto musgo del revés: pasada de ida y de vuelta, puntos del revés.

▲ = 1 menguado doble: deslizar 2 puntos juntos del derecho, 1 punto del derecho, luego pasar por encima el punto deslizado.

☑ = 1 punto musgo del revés: pasada de ida y vuelta del revés.

◁ = 1 punto derecho cruzado.

▷ = 1 punto del revés cruzado.

▱ = Deslizar 1 punto, hilo por delante.

◳ + ▱ = Deslizar 1 punto del revés, llevar el hilo por detrás de la labor.

◲ = Deslizar 1 punto del revés, llevar el hilo por delante de la labor.

Ⓤ = 1 arrollado.

Ⓝ = 1 arrollado, tejer en la pasada de vuelta puntos del derecho cruzados.

Ⓤ = 1 arrollado, en la pasada de vuelta tejer puntos del derecho.

Ⓝ = 1 arrollado, en la pasada de vuelta tejer puntos del revés cruzados.

Ⓤ = Deslizar 1 punto a la izquierda con un arrollado, en la pasada de vuelta tejer el punto del derecho junto con un arrollado, en caso de que no se indique otra cosa.

⬇ = Tejer juntos 2 puntos del derecho.

⬆ = Tejer juntos 2 puntos del revés.

⬇ = Tejer juntos 2 puntos del revés cruzados.

⬇ = Tejer juntos 3 puntos del derecho.

⋀ = Tejer juntos 3 puntos del derecho (deslizar juntos 2 puntos del derecho, los siguientes puntos se tejen del derecho, luego pasar por encima el punto deslizado).

⬇ = Tejer juntos los 2 puntos deslizados (deslizar 1 punto del derecho, tejer juntos del derecho los siguientes puntos, luego montar encima los puntos deslizados).

⬆ = Tejer juntos 3 puntos deslizados (deslizar 1 punto del derecho, tejer juntos del derecho los 2 puntos siguientes, luego montar encima los puntos deslizados).

⬅ = El arrollado no tejido se desliza a la aguja derecha y se lleva el hilo por detrás del arrollado.

↙ = Deslizar el número de puntos según indique el esquema de puntos, poner el hilo por detrás de la labor y soltar los arrollados.

↘ = Deslizar el número de puntos según indique el esquema de puntos, poner el hilo por delante de la labor y soltar los arrollados.

↙ = Soltar los arrollados de la fila anterior.
↗

● = Tejer 1 punto del derecho junto con un arrollado o como se indique.

♦ = 1 bodoque: tejer 3 puntos del siguiente hilo transversal, alternar pinchando por delante y por detrás, girar, 3 puntos del revés, girar, tejer juntos 3 puntos del revés y colocar en la aguja de la derecha este punto de bodoque.

♦ = 1 bodoque: tejer 4 puntos del siguiente hilo transversal, alternar pinchando por delante y por detrás, girar, 4 puntos del revés, girar, 4 puntos del derecho, girar, 4 puntos del revés, girar, 4 puntos del derecho, girar, tejer juntos 4 puntos del revés y este punto se vuelve a tejer del revés con el siguiente punto.

▽ = Tejer 1 punto del revés junto con 1 arrollado.

△ = Deslizar 2 puntos juntos cruzados del derecho, 1 punto del derecho, luego montar los puntos deslizados.

⬇ = 1 punto clavado más bajo (con la aguja derecha clavar el punto situado debajo de la última pasada de ida, tejer el punto del derecho y así soltar el punto de la fila anterior).

⊙	= 1 arrollado y 1 punto del derecho.
⊞	= 1 punto del derecho, enrollar el hilo 2 veces alrededor de la aguja; en la vuelta siguiente tejer los puntos según la muestra y soltar los arrollados.
⊞	= 1 punto del derecho y 3 arrollados; en las siguientes filas tejer los puntos conforme a la muestra y soltar los arrollados.
⊞	= 1 punto del revés, enrollar el hilo 2 veces alrededor de la aguja.
⊞	= 1 punto del revés, enrollar el hilo 3 veces alrededor de la aguja.
‖‖	= 3 puntos del derecho.
☰	= 3 puntos del revés.
⊠	= Válido sólo para la muestra de la página 92 abajo: punto lazada (1 punto del derecho, cogerlo junto al hilo transversal que se encuentra delante del punto de deslizar, es decir, montar este hilo sobre el punto derecho tejido).
①	= Deslizar el arrollado con 1 arrollado.
②	= El punto con el arrollado se vuelve a deslizar con 1 arrollado.
③	= Deslizar el punto con los 2 arrollados, el hilo delante de la labor.

Signos referentes a 2 puntos

⌐/⊤ / 1/1	= Cruzar 2 puntos hacia la derecha – derecho (colocar 1 punto en una aguja para trenzar por detrás de la labor, tejer el siguiente punto del derecho y el punto de la aguja auxiliar también del derecho).
─/⊤ / ⌐/─	= Cruzar 2 puntos hacia la derecha – derecho / revés (colocar 1 punto sobre una aguja auxiliar por detrás de la labor, tejer el siguiente punto del derecho y el punto de la aguja auxiliar del revés).
⊤\⌐ / ⊤\1	= Cruzar 2 puntos hacia la izquierda – derecho (colocar 1 punto sobre una aguja auxiliar por delante de la labor, tejer el siguiente punto del derecho y el punto de la aguja auxiliar también del derecho.
⊤\─ / ─\⌐	= Cruzar 2 puntos hacia la izquierda – revés / derecho (poner 1 punto en una aguja auxiliar por delante de la labor, tejer el siguiente punto del revés y el punto de la aguja auxiliar del derecho).
⊻	= Tejer 2 puntos del derecho juntos.

⊂⊃	=2 puntos arrollados: 2 puntos del derecho, poner los 2 puntos en una aguja auxiliar y enrollar el hilo tres veces alrededor, colocar los 2 puntos sobre la aguja derecha.
⊰⊲	= 1 bodoque sobre 2 puntos: 1 punto del derecho cruzado, 2 arrollados, 1 punto del derecho cruzado, girar, 4 puntos del revés cruzados, girar, 4 puntos del derecho, girar, 4 puntos del revés, girar, 4 puntos derecho, girar, 4 puntos del revés, girar, tejer juntos 2 veces cada 2 puntos del derecho.
⫿⫿∪	= 1 arrollado, 2 puntos del derecho, pasar el arrollado sobre los 2 puntos tejidos.
⌐L∟	= De 1 punto sacar 2 puntos del derecho.
⊟⊟	= De 1 punto sacar 2 puntos del revés.
⊓⊤ / ⊓⊓	= Pasar lazada sobre los puntos tejidos.
⊠	= Soltar los arrollados de la pasada anterior, luego tejer juntos los 5 hilos de la fila anterior primero del revés y luego del derecho.

Signos referentes a 3 puntos

⌐⌐/⊤ / 2/⌐	= Cruzar 3 puntos hacia la derecha – del derecho (poner 2 puntos en una aguja auxiliar por detrás de la labor, tejer el siguiente punto del derecho y los puntos de la aguja auxiliar del derecho).
⌐/⊤⊤ / 1/2	= Cruzar 3 puntos hacia la derecha – derecho (poner 1 punto en aguja auxiliar por detrás de la labor, tejer los siguientes 2 puntos del derecho y también los puntos de la aguja auxiliar se tejen del derecho).
─/⊤⊤	= Cruzar 3 puntos hacia la derecha – derecho / revés (poner 1 punto en una aguja auxiliar por detrás de la labor, tejer los 2 puntos siguientes del derecho y los puntos de la aguja auxiliar del revés).
─⊟/⊤	= Cruzar 3 puntos hacia la derecha – derecho / revés (poner 2 puntos en una aguja auxiliar por detrás de la labor, el siguiente punto del derecho y tejer los puntos de la aguja auxiliar del revés).
⊠⊠	= Tejer juntos 3 puntos, pero no deslizar los puntos de la aguja izquierda, coger 1 arrollado en la aguja y con los puntos tejidos juntos volver a sacar un punto del derecho, luego deslizar los puntos de la aguja izquierda.

7

= Cruzar 3 puntos hacia la izquierda – derecho (poner 1 punto sobre una aguja auxiliar por delante de la labor, los 2 puntos siguientes se tejen del derecho y los puntos de la aguja auxiliar también del derecho).

= Cruzar 3 puntos hacia la izquierda – derecho (poner 2 puntos sobre una aguja auxiliar por delante de la labor, el siguiente punto del derecho y tejer los puntos de la aguja auxiliar también del derecho).

= Cruzar 3 puntos hacia la izquierda – revés / derecho (poner 2 puntos sobre una aguja auxiliar por delante de la labor, el siguiente punto del revés y tejer del derecho los puntos de la aguja auxiliar).

= Cruzar 3 puntos hacia la izquierda - revés / derecho (poner 1 punto sobre una aguja auxiliar por delante de la labor, los siguientes 2 puntos del revés y tejer del derecho los puntos de la aguja auxiliar).

= (Esta instrucción sólo vale para la página 90) 1 punto sobre una aguja auxiliar por delante de la labor y soltar el arrollado, 2 puntos del derecho, luego tejer los puntos de la aguja auxiliar del revés.

= (Esta instrucción sólo vale para la página 90). Poner 2 puntos en la aguja auxiliar por detrás de la labor, tejer los siguientes puntos del derecho y soltar el arrollado, luego tejer del derecho el punto de la aguja auxiliar.

= De 1 punto sacar 1 punto del derecho, 1 arrollado y 1 punto del derecho.

= Tejer juntos 3 puntos del derecho, dejar el punto en la aguja, 1 arrollado, volver a tejer juntos los 3 puntos del derecho pinchando desde delante.

= Pasar la lazada sobre los puntos tejidos.

= De 1 punto sacar 3 puntos del derecho.

Signos referentes a 4 puntos

= Cruzar 4 puntos hacia la derecha – derecho (poner 2 puntos sobre una aguja auxiliar por detrás de la labor, tejer los 2 siguientes puntos del derecho y los puntos de la aguja auxiliar del derecho).

= Cruzar 4 puntos hacia la derecha – derecho (poner 1 punto en una aguja auxiliar por detrás de la labor, los siguientes 3 puntos se tejen del derecho y los puntos de la aguja auxiliar del derecho).

= Cruzar 4 puntos hacia la derecha – derecho / revés (poner 1 punto en una aguja auxiliar por detrás de la labor, tejer los siguientes 3 puntos del derecho y los puntos de la aguja auxiliar del revés).

= Cruzar 4 puntos hacia la derecha – derecho / revés (poner 2 puntos en una aguja auxiliar por detrás de la labor, tejer los siguientes 2 puntos del derecho y los puntos de la aguja auxiliar del revés).

= Cruzar 4 puntos hacia la izquierda – derecho (poner 2 puntos en una aguja auxiliar por delante de la labor, tejer los siguientes 2 puntos del derecho y los de la aguja auxiliar del derecho).

= Cruzar 4 puntos hacia la izquierda – derecho (poner 3 puntos en una aguja auxiliar por delante de la labor, tejer el siguiente punto del derecho y los puntos de la aguja auxiliar del derecho).

= Cruzar 4 puntos hacia la izquierda – revés / derecho (poner 3 puntos en una aguja auxiliar por delante de la labor, tejer el siguiente punto del revés y los de la aguja auxiliar del derecho).

= Cruzar 4 puntos hacia la izquierda – revés / derecho (poner 2 puntos en una aguja auxiliar por delante de la labor, tejer los siguientes 2 puntos del revés, luego los puntos de la aguja auxiliar del derecho).

= Soltar los 4 arrollados de la hilera anterior, montar 4 nuevos puntos, * clavar alrededor del hilo cruzado que se encuentra debajo, sacar una lazada y alargarla, sacar una lazada y estirarla, a partir de * repetir una vez 1 arrollado, luego añadir otros 4 puntos.

= Clavar en el punto correspondiente de la 4.ª hilera que se encuentra debajo y tejer 1 punto del derecho.

Signos referentes a 5 puntos

= De 1 punto sacar 2 puntos del derecho.

= Cruzar 5 puntos hacia la derecha – derecho (poner 2 puntos en una aguja auxiliar por detrás de la labor, tejer los siguientes 3 puntos del derecho y los puntos de la aguja auxiliar del derecho).

= Cruzar 5 puntos hacia la derecha – derecho (poner 3 puntos en una aguja auxiliar por detrás de la labor, tejer los siguientes 2 puntos del derecho y los puntos de la aguja auxiliar también del derecho).

= Cruzar 5 puntos hacia la derecha – derecho (poner 3 puntos en una aguja auxiliar por delante de la labor, tejer 2 puntos del derecho, luego los puntos de la aguja auxiliar también del derecho).

= Cruzar 5 puntos hacia la derecha – derecho / revés / derecho (poner 2 puntos en una aguja auxiliar por delante de la labor, el siguiente punto del derecho, los 2 siguientes puntos del revés y tejer del derecho el punto de la aguja auxiliar).

= Cruzar 5 puntos hacia la derecha – derecho / revés / derecho (poner 2 puntos en una aguja auxiliar por detrás de la labor, poner el siguiente punto en una 2.ª aguja auxiliar, también por detrás de la labor, tejer los 2 puntos siguientes del derecho, tejer del revés el punto de la 2.ª aguja auxiliar y los puntos de la 1.ª aguja auxiliar del derecho).

= Cruzar 5 puntos hacia la izquierda – derecho / revés / derecho (poner 2 puntos en una aguja auxiliar por delante de la labor, el siguiente punto se pone en una 2.ª aguja auxiliar por detrás de la labor, tejer los siguientes 2 puntos del derecho, los puntos de la 2.ª aguja auxiliar del revés y los de la 1.ª aguja auxiliar, del derecho).

= Deslizar 5 puntos del revés y dejar caer cada vez el siguiente arrollado, volver a poner en la aguja izquierda los 5 puntos subidos, luego coger 2 arrollados en la aguja, tejer juntos cruzados del derecho los 5 puntos subidos y volver a coger 2 arrollados en la aguja de la derecha.

= 1 onda: deslizar los 5 puntos siguientes y ponerlos en la aguja auxiliar, girar la aguja una vez alrededor, volver a poner los 5 puntos sobre la aguja izquierda y de las 5 lazadas, como de 1 punto, sacar para tejer 5 puntos del derecho.

= De 1 punto sacar para tejer 5 puntos.

= Deslizar 2 puntos, tejer juntos del revés los 3 puntos siguientes, luego montar los 2 puntos deslizados.

= Deslizar 5 puntos, dejando caer los arrollados y tirar de los puntos, volver a subirlos a la aguja izquierda y tejerlos juntos cruzados del derecho, subir este punto a la aguja izquierda y tejer del punto 5 puntos del derecho; para eso, clavar alternativamente por delante y por detrás.

= Cruzar 5 puntos, tejer 3 puntos en la aguja auxiliar por delante de la labor, tejer los siguientes 2 puntos del derecho, luego coger en la aguja izquierda los 3 puntos de la aguja auxiliar delante de los primeros 2 puntos y tejerlos del revés. A continuación tejer los primeros 2 puntos del derecho.

Signos referentes a 6 puntos

= Cruzar 6 puntos hacia la derecha – derecho (poner 3 puntos en una aguja auxiliar por delante de la labor, los siguientes 3 puntos se tejen del derecho, también del derecho los puntos de la aguja auxiliar).

= Cruzar 6 puntos hacia la izquierda – derecho (poner 3 puntos en una aguja auxiliar por delante de la labor, los siguientes 3 puntos se tejen del derecho y los puntos de la aguja auxiliar también del derecho).

= Cruzar 6 puntos hacia la izquierda – revés / derecho (poner 3 puntos en una aguja auxiliar por delante de la labor, los siguientes 3 puntos se tejen del revés y los puntos de la aguja auxiliar del derecho).

= Poner 3 puntos en la aguja auxiliar por detrás de la labor, los siguientes 3 puntos del derecho, luego tejer del revés los 3 puntos de la aguja auxiliar.

= Pinchar juntos en los 2 puntos y sacar 6 puntos cruzados alternando 1 punto del derecho y 1 punto del revés cruzado.

= Cruzar 6 puntos del derecho (poner 3 puntos por detrás de la labor en una aguja para trenzar, tejer del derecho los siguientes 2 puntos, el punto siguiente se teje del revés junto con el 1.er punto de la aguja para trenzar, tejer del derecho los últimos 2 puntos de la aguja para trenzar).

Signos referentes a 7 puntos

= Cruzar 7 puntos hacia la derecha – derecho / revés / derecho (poner 3 puntos en una aguja auxiliar por detrás de la labor, el siguiente punto se pone en una 2.ª aguja auxiliar también por detrás de la labor, tejer los siguientes 3 puntos del derecho, el punto de la 2.ª aguja auxiliar del revés y los puntos de la 1.ª aguja auxiliar del derecho).

= Cruzar 7 puntos hacia la izquierda – (poner 3 puntos en una aguja auxiliar por delante de la labor, el siguiente punto se pone en una 2.ª aguja auxiliar por detrás de la labor, los 3 puntos siguientes se tejen del derecho, el punto de la 2.ª aguja auxiliar del revés y el punto de la 1.ª aguja auxiliar del derecho).

= Cruzar 7 puntos hacia la izquierda – (poner
3 puntos en una aguja auxiliar por delante
de la labor, el siguiente punto se pone en una
2.ª aguja auxiliar por detrás de la labor, tejer
los siguientes 3 puntos del derecho, el punto de
la 2.ª aguja auxiliar del derecho y los puntos
de la 1.ª aguja auxiliar del derecho).

= Deslizar 3 puntos, tejer juntos del revés los
siguientes 4 puntos, luego montar por encima
los 4 puntos deslizados.

Signos referentes a 8 puntos

= Cruzar 8 puntos hacia la derecha – del
derecho (poner 4 puntos en una aguja auxiliar
por detrás de la labor, los 4 puntos siguientes
tejer del derecho y los puntos de la aguja
auxiliar también).

= Cruzar 8 puntos hacia la izquierda – del
derecho (poner 4 puntos sobre una aguja
auxiliar por delante de la labor, tejer los
siguientes 4 puntos del derecho y los puntos
de la aguja auxiliar del derecho).

= Montar 8 puntos nuevos.

= Cruzar 8 puntos 8 = 3 puntos en la 1.ª aguja
auxiliar por detrás de la labor, los siguientes
2 puntos en la 2.ª aguja auxiliar por delante de
la labor, tejer los siguientes 3 puntos tal como
aparecen, luego del derecho los 2 puntos de la
2.ª aguja auxiliar y tejer los 3 puntos de la
1.ª aguja auxiliar tal como aparecen.

Signos referentes a 9 puntos

= Soltar los 4 arrollados de la fila anterior,
montar 4 puntos nuevos, *clavar alrededor de
los hilos cruzados que se encuentran debajo,
sacar una lazada y estirarla a lo largo,
1 arrollado, a partir de * repetir una vez, luego
montar otros 4 puntos.

Signos referentes a 10 puntos y más

= Cruzar 10 puntos hacia la derecha – del derecho
(poner 5 puntos en una aguja auxiliar por detrás de
la labor y tejer del derecho los 5 puntos siguientes
y los puntos de la aguja auxiliar del derecho).

= Cruzar 10 puntos hacia la izquierda – del
derecho (poner 5 puntos en una aguja auxiliar por
delante de la labor, tejer del derecho los 5 puntos
siguientes y también los puntos de la aguja
auxiliar).

= Poner 5 puntos en la aguja auxiliar por detrás
de la labor, el punto siguiente se pone en una
2.ª aguja auxiliar también por detrás de la labor,
tejer los 5 puntos siguientes tal como aparecen,
luego tejer del revés el único punto de la aguja
auxiliar, a continuación tejer como aparecen
los 5 puntos de la 1.ª aguja auxiliar.

= Cruzar 12 puntos hacia la derecha (poner
6 puntos en una aguja auxiliar por detrás de la
labor, tejer del derecho los 6 puntos siguientes
y luego también del derecho los 6 puntos
de la aguja auxiliar).

= Cruzar 12 puntos hacia la izquierda (poner
6 puntos en una aguja auxiliar por delante de la
labor, tejer del derecho los 6 puntos siguientes,
luego también del derecho los 6 puntos de la aguja
auxiliar).

= Cruzar 12 puntos (poner 4 puntos en la 1.ª aguja
auxiliar por detrás de la labor, los siguientes
4 puntos se ponen por delante de la labor en la
2.ª aguja auxiliar, tejer los 4 puntos siguientes del
derecho, luego los 4 puntos de la 2.ª aguja auxiliar
y los 4 puntos de la 1.ª aguja auxiliar también del
derecho).

= Cruzar 12 puntos (poner 4 puntos en la 1.ª aguja
auxiliar por detrás de la labor, los siguientes
4 puntos se ponen en la 2.ª aguja auxiliar también
por detrás de la labor, tejer los siguientes 4 puntos
del derecho, luego los 4 puntos de la 2.ª aguja
auxiliar y los 4 puntos de la 1.ª aguja auxiliar del
derecho).

Muestra de trenza – Aran

⊔⊔⊔⊔ = Del hilo transversal tejer 1 punto del derecho,
1 arrollado, 1 punto del derecho, 1 arrollado
y 1 punto del derecho = 5 puntos.

⊔⊔⊔⊔⊔⊔ = Del hilo transversal sacar para tejer 1 punto
del derecho, 1 arrollado, 1 punto del derecho,
1 arrollado y 1 punto del derecho, 1 arrollado
y 1 punto del derecho = 7 puntos. En las hileras
11-20 añadir un motivo A en el lugar marcado
con una línea gruesa.

Motivo A

‾⌐\| | | = Trenzar 6 puntos hacia la izquierda: poner
3 puntos en una aguja auxiliar por delante de la
labor, tejer los siguientes 3 puntos del derecho,
luego tejer los 3 puntos de la aguja auxiliar
conforme al símbolo de la muestra.

| | |\⌐‾⌐ = Trenzar 6 puntos hacia la izquierda: poner
3 puntos en una aguja auxiliar por detrás de la
labor, tejer los siguientes 3 puntos conforme
al símbolo de la muestra, luego tejer del derecho
los 3 puntos de la aguja auxiliar.

| | |/⌐‾⌐ = Trenzar 6 puntos hacia la derecha: poner
3 puntos en una aguja auxiliar por detrás
de la labor, los siguientes 3 puntos se tejen
conforme al símbolo de la muestra, luego tejer
del derecho los 3 puntos de la aguja auxiliar.

⌐‾⌐/| | | = Trenzar 6 puntos hacia la derecha: poner
3 puntos en una aguja auxiliar por detrás
de la labor, los siguientes 3 puntos se tejen
del derecho, tejer luego los 3 puntos de la aguja
auxiliar según el signo de la muestra.

⊤ = 1 punto del derecho clavado bajo: en el punto de
la última pasada de ida, tejer el punto del derecho
y así se sueltan los de la hilera anterior.

‾⊤\‾⊤‾⊤ = Trenzar 7 puntos hacia la izquierda: poner
3 puntos en una aguja auxiliar por delante de
la labor, luego tejer los 4 puntos siguientes según
el símbolo de la muestra, luego tejer los 3 puntos
de la aguja auxiliar según el signo de la muestra.

Muestras con relieve

Página 25

Página 25

Página 25

Página 26

Página 26

Página 26

Página 27

Página 27

Página 27

Página 28

Página 28

Página 28

Página 29

Página 29

Página 29

Página 30

Página 30

Página 30

Página 31

Página 31

Página 31

Página 32

Página 32

Página 32

Página 33

Página 33   Página 33   Página 34   Página 34   Página 34

Página 35   Página 35   Página 35

Muestras con puntos de cable

Página 37   Página 37   Página 37   Página 38   Página 38

Página 38   Página 39   Página 39   Página 39   Página 40

Página 40   Página 40   Página 41   Página 41   Página 41

Muestras caladas

Página 43   Página 43   Página 43   Página 44   Página 44

    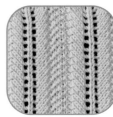

Página 44   Página 45   Página 45   Página 45   Página 46

 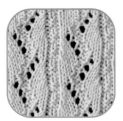   

Página 46   Página 46   Página 47   Página 47   Página 47

Página 48   Página 48   Página 48   Página 49   Página 49

Página 49   Página 50   Página 50   Página 50   Página 51

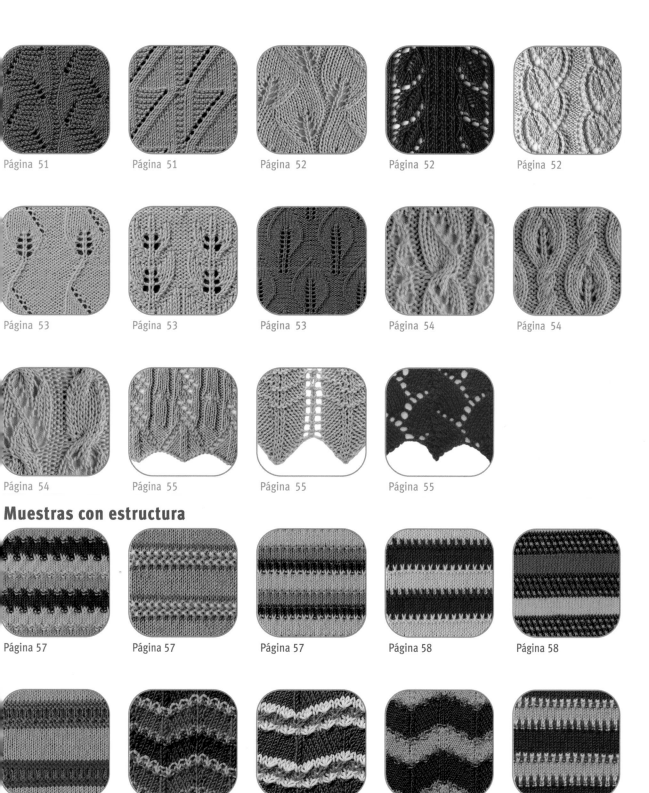

Página 51

Página 51

Página 52

Página 52

Página 52

Página 53

Página 53

Página 53

Página 54

Página 54

Página 54

Página 55

Página 55

Página 55

Muestras con estructura

Página 57

Página 57

Página 57

Página 58

Página 58

Página 58

Página 59

Página 59

Página 59

Página 60

Página 60

Página 60

Página 61

Página 61

Página 61

Página 62

Página 62

Página 62

Página 63

Página 63

Página 63

Muestras de trenzas

Página 65

Página 65

Página 65

Página 66

Página 66

Página 66

Página 67

Página 67

Página 67

Página 68

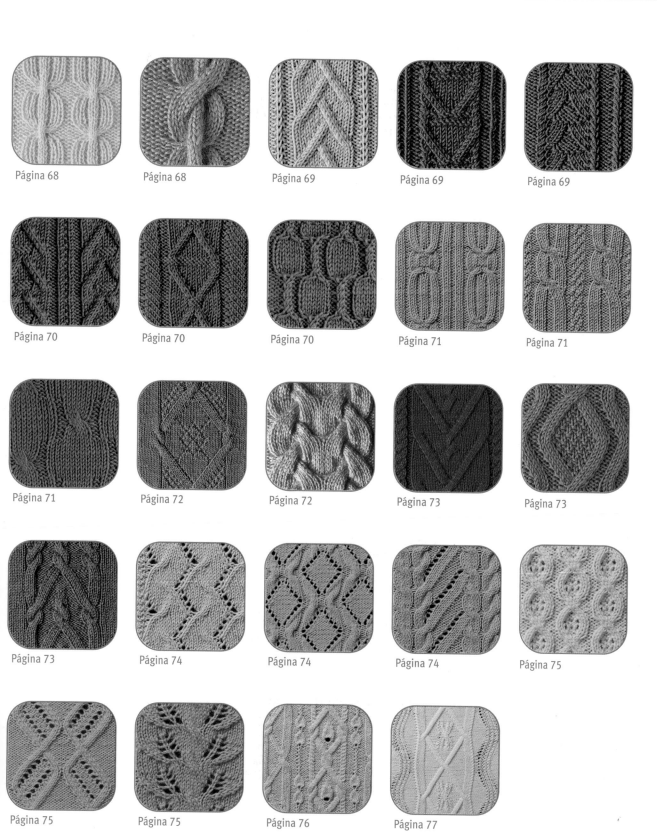

Página 68

Página 68

Página 69

Página 69

Página 69

Página 70

Página 70

Página 70

Página 71

Página 71

Página 71

Página 72

Página 72

Página 73

Página 73

Página 73

Página 74

Página 74

Página 74

Página 75

Página 75

Página 75

Página 76

Página 77

Muestras con bodoques

Página 79

Página 79

Página 79

Página 80

Página 80

Página 80

Página 81

Página 81

Página 81

Página 82

Página 82

Página 82

Página 83

Página 83

Página 84

Página 84

Página 85

Página 85

Página 85

Muestras de fantasía

Página 87

Página 87

Página 87

Página 88

Página 88

Página 88

Página 89

Página 89

Página 89

Página 90

Página 90

Página 90

Página 91

Página 91

Página 91

Página 92

Página 92

Página 92

Página 93

Página 93

Página 93

Página 94

Página 94

Página 94

Página 95

Página 95

Página 95

Muestras irlandesas

Página 97

Página 97

Página 97

Página 98

Página 98

Página 98

Página 99

Página 99

Página 99

Página 100

Página 100

Página 100

Página 101

Página 101

Página 101

Muestras con figuras

Página 103

Página 103

Página 103

Página 104

Página 104

Página 104

Página 105

Página 105

Página 105

Página 106

Página 106

Página 107

Página 107

Página 107

Página 108

Página 108

Página 109

Página 109

Página 110

Página 111

Página 111

Muestras de jacquard y noruegas

Página 113

Página 113

Página 114

Página 114

Página 115

Página 115

Página 115

Página 116

Página 116

Página 116

Página 117   Página 117   Página 117   Página 118   Página 118

Página 118   Página 119   Página 119   Página 119   Página 120

Página 120   Página 121   Página 121   Página 122   Página 122

Página 122   Página 123   Página 123   Página 123

Esquemas de puntos y esquemas con números

Los esquemas de puntos se leen de abajo hacia arriba. Si sólo se representan las pasadas de ida, las pasadas se leen desde la derecha —donde también se encuentra el número de pasada— hacia la izquierda. En las filas o pasadas de vuelta o del revés de la labor, que no se representan (Figura 1), los puntos se tejen como aparecen, según la respectiva muestra o la explicación de los símbolos. Si de forma adicional se representan las pasadas de vuelta (Figura 2), éstas se leen de izquierda a derecha. El número de pasadas también se encuentra a la izquierda. El panel de puntos dado (PP o flecha) se repite siempre a lo ancho. Los puntos de fuera del panel se trabajan solamente al comienzo y al final de las pasadas. La repetición de las pasadas del panel en vertical se encuentra cada vez en la correspondiente Instrucción. Los símbolos de los esquemas de puntos se explican en las páginas 6-11. Los símbolos para los bodoques, en la Instrucción para la realización de los mismos. En las muestras con estructuras de varios colores (Figura 3), los diferentes colores se indican mediante letras situadas al costado de los esquemas de puntos.

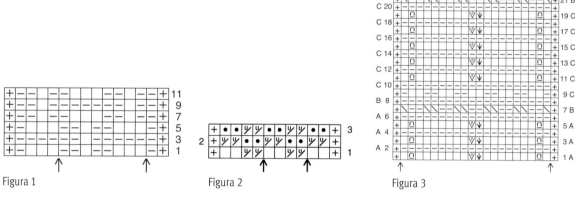

Figura 1   Figura 2   Figura 3

Los esquemas con números para las muestras de jacquard o noruegas (Figura 4) se leen también de abajo hacia arriba. Las pasadas de ida se leen de derecha a izquierda; las de vuelta o del revés de la labor, de izquierda a derecha. En las pasadas de ida, los hilos se llevan por detrás; en las de vuelta, por delante de la labor (ver página 112). Estas muestras se trabajan en general lisas del derecho, de forma que en la parte delantera se vean los puntos del derecho (Figura 5); por la parte de atrás se ven puntos del revés, así como los hilos (Figura 6). A lo ancho, comenzar con los puntos de delante del panel de muestra, repetirlo siempre y terminar con los puntos que siguen al panel de muestra. La abreviatura MS significa muestra.

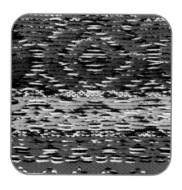

Figura 4   Figura 5   Figura 6

23

Muestras con relieve

Las muestras con relieve son sencillas de realizar pero quedan muy llamativas. Por eso son las preferidas de los principiantes, aunque también a las expertas tejedoras les encanta el sugestivo juego de combinar puntos del derecho y del revés que, según como se utilicen, forman ondas, muestras geométricas, acanaladuras y bordes. Unos resultados muy interesantes se producen al combinarlas con trenzas o muestras caladas.

Mini curso de punto

Puntos del derecho: el hilo está siempre por detrás de la labor. Con la aguja derecha clavar de delante hacia atrás en el punto que se encuentra en la aguja izquierda y llevar el hilo hacia delante. El nuevo punto queda así en la aguja derecha.

Puntos del revés: el hilo está siempre por delante de la labor. Con la aguja derecha clavar de atrás hacia delante en el punto que se encuentra en la aguja izquierda y llevar el hilo hacia detrás. El nuevo punto se encuentra así en la aguja derecha.

Muestras con relieve

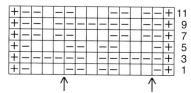

En las pasadas de vuelta o del revés de la labor tejer los puntos
tal como aparecen.

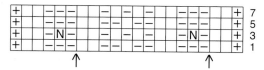

En las pasadas de vuelta tejer los puntos tal como aparecen.
N = 1 bodoque: de 1 punto sacar 1 punto del derecho y 1 punto
del derecho cruzado, girar, tejer 2 puntos del revés, girar, tejer
2 puntos del derecho, luego pasar el 1.er punto sobre
el 2.º punto.

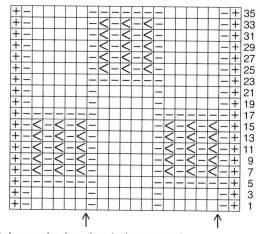

En las pasadas de vuelta tejer los puntos tal como aparecen.

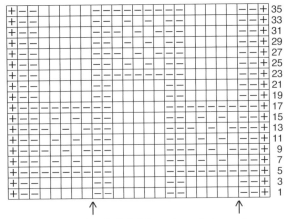

En las pasadas del revés de la labor o de vuelta los puntos se tejen tal como aparecen.

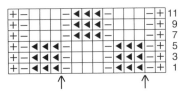

En las pasadas de vuelta tejer los puntos tal como aparecen o como se indique.

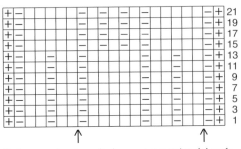

En las pasadas de vuelta los puntos se tejen del revés.

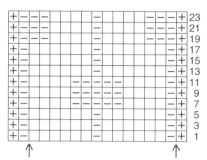

En las pasadas de vuelta tejer los puntos del revés.

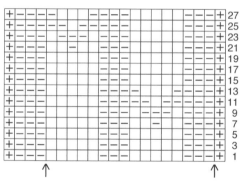

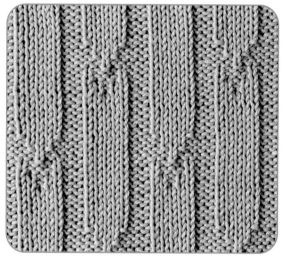

En las pasadas de vuelta los puntos se tejen tal como aparecen.

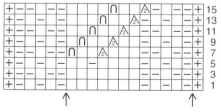

En las pasadas de vuelta los puntos se tejen tal como aparecen.
Tejer los arrollados del derecho cruzados.

Muestras con relieve

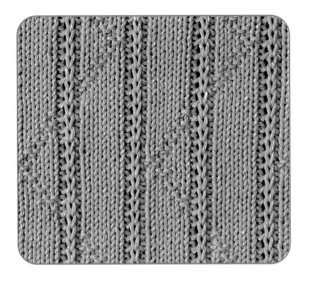

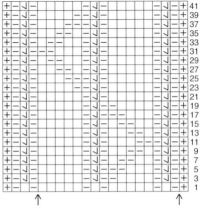

En las pasadas de vuelta los puntos se tejen tal como aparecen. En sentido vertical tejer una vez las pasadas 1-42, luego repetir siempre las pasadas 3-42.

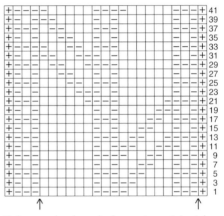

En las pasadas de vuelta los puntos se tejen tal como aparecen. En sentido vertical tejer una vez las pasadas 1-42, luego repetir siempre las pasadas 3-42.

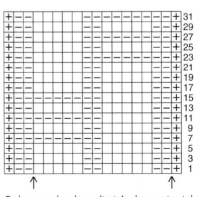

En las pasadas de vuelta tejer los puntos tal como aparecen.

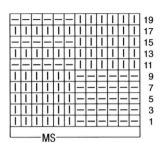

| | | | | | | | | | | | | | | | | | 19
| | | | | | | | | | | | | | | | | | | 17
| | | | | | | | | | | | | | | | | | 15
| | | | | | | | | | | | | | | | | | | 13
| | | | | | | | | | | | | | | | | | 11
| | | | | | | | | | | | | | | | | | | 9
| | | | | | | | | | | | | | | | | | | 7
| | | | | | | | | | | | | | | | | | | 5
| | | | | | | | | | | | | | | | | | | 3
| | | | | | | | | | | | | | | | | | | 1

—MS—

En las pasadas de vuelta tejer los puntos tal como aparecen.

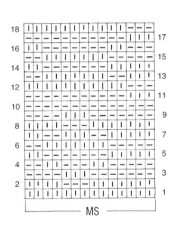

18 ... 17
16 ... 15
14 ... 13
12 ... 11
10 ... 9
8 ... 7
6 ... 5
4 ... 3
2 ... 1

— MS —

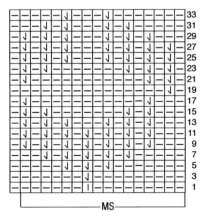

| | | | | | | | | | | | | | 33
| | | | | | | | | | | | | | 31
| | | | | | | | | | | | | | 29
| | | | | | | | | | | | | | 27
| | | | | | | | | | | | | | 25
| | | | | | | | | | | | | | 23
| | | | | | | | | | | | | | 21
| | | | | | | | | | | | | | 19
| | | | | | | | | | | | | | 17
| | | | | | | | | | | | | | 15
| | | | | | | | | | | | | | 13
| | | | | | | | | | | | | | 11
| | | | | | | | | | | | | | 9
| | | | | | | | | | | | | | 7
| | | | | | | | | | | | | | 5
| | | | | | | | | | | | | | 3
| | | | | | | | | | | | | | 1

—MS—

En las pasadas de vuelta tejer los puntos tal como aparecen.
En sentido vertical tejer una vez las pasadas 1-34, luego repetir
siempre las pasadas 3-34.

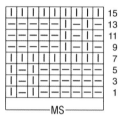

En las pasadas de vuelta tejer los puntos tal como aparecen.

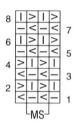

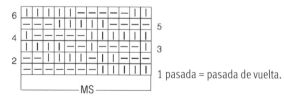

1 pasada = pasada de vuelta.

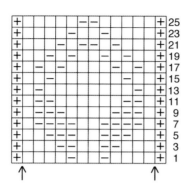
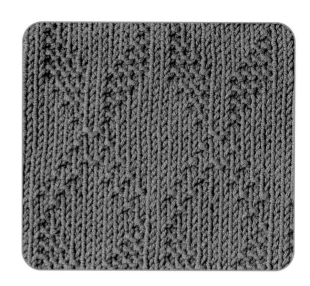

En las pasadas de vuelta tejer los puntos del revés.

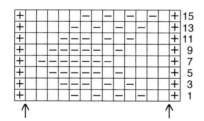

En las pasadas de vuelta tejer los puntos del revés.

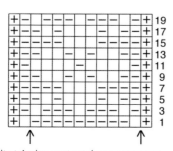

En las pasadas de vuelta tejer los puntos tal como aparecen.

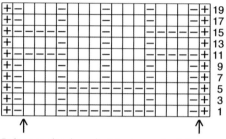

En las pasadas de vuelta tejer los puntos tal como aparecen.

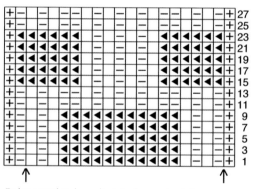

En las pasadas de vuelta tejer los puntos tal como aparecen
o como se indique.

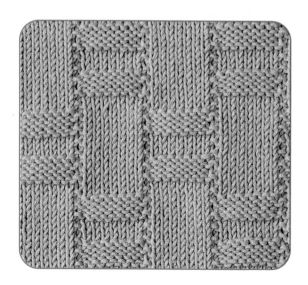

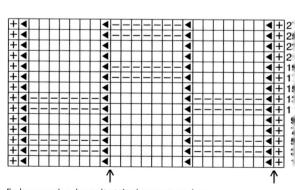

En las pasadas de vuelta tejer los puntos tal como aparecen
o como se indique.

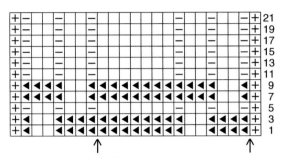

En las pasadas de vuelta tejer los puntos tal como aparecen o como se indique.

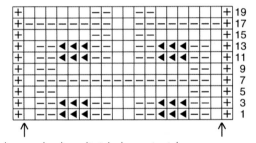

En las pasadas de vuelta tejer los puntos tal como aparecen o como se indique.

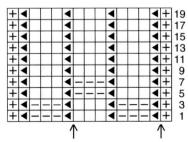

En las pasadas de vuelta tejer los puntos tal como aparecen o como se indique.

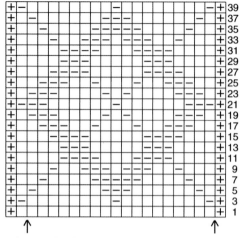

En las pasadas de vuelta tejer los puntos tal como aparecen.

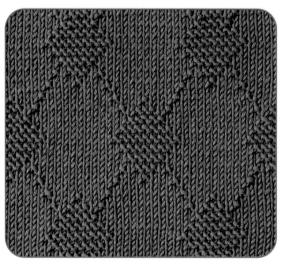

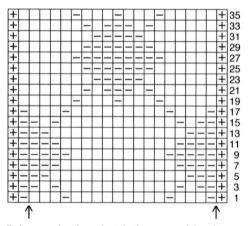

En las pasadas de vuelta tejer los puntos del revés.

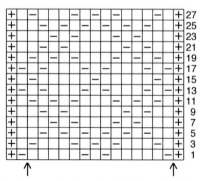

En las pasadas de vuelta tejer los puntos tal como aparecen.

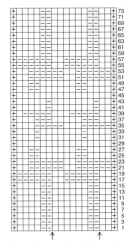

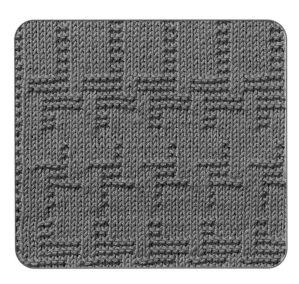

Las pasadas de vuelta se tejen del revés.

Las pasadas de vuelta se tejen del revés.

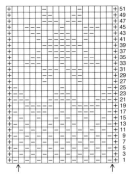

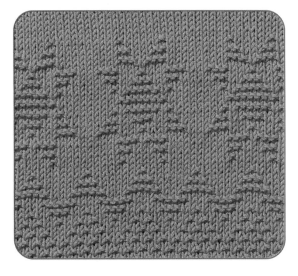

Las pasadas de vuelta se tejen del revés.

Muestras con puntos de cable

El tejido con puntos de cable es extremadamente elástico, pero sin que ello implique que pierda su forma. La parte del derecho y del revés son iguales. Como esta muestra se realiza con muchos arrollados debe calcularse para su ejecución más hilo que con las otras muestras. La muestra con puntos de cable tiene más volumen y un efecto muy vistoso, por eso no se debe elegir un hilo demasiado grueso. Los hilos de algodón de textura blanda son los más adecuados.

Mini curso de punto

Punto de cable del revés: poner el hilo de trabajo en la aguja derecha y deslizar el siguiente punto como para tejer puntos del revés. Los puntos del revés de la pasada se tejen también así.

Punto de cable del derecho: con la aguja derecha clavar en el punto derecho y en el arrollado que se encuentra situado encima y tejer juntos del derecho. Los puntos del derecho de la pasada del revés de la labor se tejen también así.

Muestras con puntos de cable

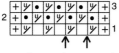

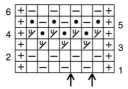

Tejer en sentido vertical una vez las pasadas 1-3, luego repetir siempre las pasadas 2 y 3.

Tejer en sentido vertical una vez las pasadas 1-6, luego repetir siempre las pasadas 3-6.

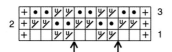

Tejer en sentido vertical una vez las pasadas 1-3, luego repetir siempre las pasadas 2 y 3.

37

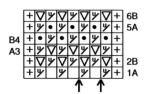

Tejer en sentido vertical una vez las pasadas 1-6, luego repetir siempre las pasadas 3-6. ¡Atención! Esta muestra sólo se puede teje con agujas circulares, ya que siempre siguen 2 pasadas de ida a las 2 pasadas de vuelta.

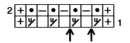

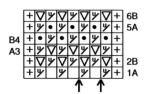

Tejer en sentido vertical una vez las pasadas 1-22, luego repetir siempre las pasadas 9-22.

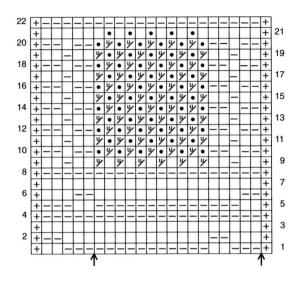

¡Atención! Las cuadrículas vacías no significan aquí nada. Tejer en sentido vertical una vez las pasadas 1-38, luego repetir siempre desde la 3-38.

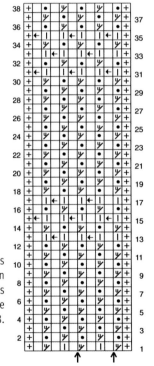

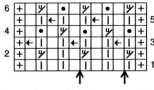

¡Atención! Las cuadrículas vacías no significan aquí nada. Tejer en sentido vertical una vez las pasadas 1-6, luego repetir siempre las pasadas 3-6.

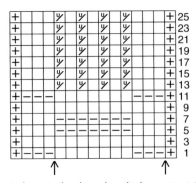

En las pasadas de vuelta tejer los puntos tal como aparecen; los puntos y el arrollado que se encuentra encima se tejen juntos del derecho.

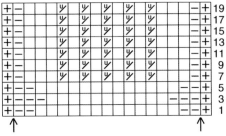

En las pasadas de vuelta tejer los puntos tal como aparecen; los puntos y el arrollado que se encuentra encima se tejen juntos del derecho.

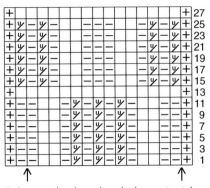

En las pasadas de vuelta tejer los puntos tal como aparecen; los puntos y el arrollado que se encuentra encima se tejen juntos del revés.

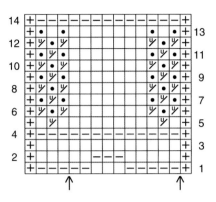

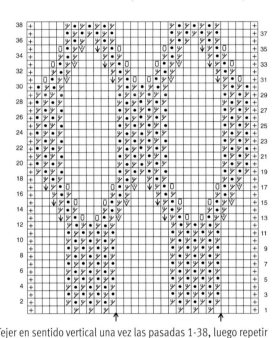

Tejer en sentido vertical una vez las pasadas 1-38, luego repetir siempre las pasadas 3-38.

En las pasadas de vuelta tejer tal como aparece o como se indique. Tejer en sentido vertical una vez las pasadas 1-42, luego repetir siempre las pasadas 3-42.

Muestras caladas

En las muestras caladas, lo que determina el aspecto es lo que falta: los agujeros. La imagen ligera que ofrecen los calados es perfecta para la moda veraniega. Hilos de algodón, lino, seda o viscosa son los que realzan el artístico trabajo del calado plasmado en diseños gráficos, encajes de filigrana, efectos transparentes, adornos románticos y motivos naturales.

Mini curso de punto

Hacer un arrollado: pasar el hilo desde delante hacia atrás sobre la aguja derecha. Aquí se habían tejido antes 2 puntos juntos del derecho.

Tejer juntos los puntos deslizados: deslizar el primer punto, el siguiente punto se teje del derecho, luego el punto deslizado se pasa por encima del punto tejido.

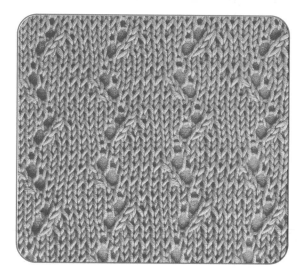

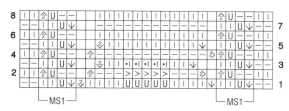

Ancho de la muestra: 24 puntos.
Panel de puntos 1 = orla hueca.
Las cuadrículas vacías no significan aquí nada.
Repetir siempre las pasadas 1-8.

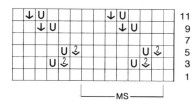

Número de puntos múltiplo de 7 + 2 puntos orillo.
En las pasadas de vuelta todos los puntos y arrollados se tejen del revés.
En sentido horizontal comenzar con el punto anterior al panel de puntos, repetir esta muestra siempre y terminar con los puntos posteriores al panel de puntos. Repetir siempre las pasadas 1-12.

Número de puntos múltiplo de 6 + 2 puntos orillo.
Los puntos en las pasadas de vuelta se tejen tal como aparecen, los arrollados del derecho y los puntos cruzados del derecho, tejerlos cruzados del revés. Repetir siempre las pasadas 1-10.

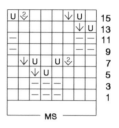

Número de puntos múltiplo de 8 + 2 puntos orillo.
En las pasadas de vuelta tejer los puntos tal como aparecen, los arrollados se tejen del revés. Repetir siempre las pasadas 1-16.

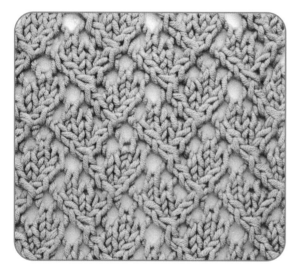

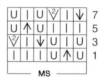

Número de puntos múltiplo de 6 + 2 puntos orillo.
En las pasadas de vuelta todos los puntos y arrollados se tejen del revés. Repetir siempre las pasadas 1-8.

```
V V V — | | | | | | — V V V   19
V V V — | | | | | | — V V V   17
V V V — | | | | | | — V V V   15
| | | — | | | | | | — | | |   13
| | | — | | | | U ↓ | — | | |  11
| | | — | | | U ↓ | | — | | |   9
| | | — | | U ↓ | | | — | | |   7
| | | — | U ↓ | | | | — | | |   5
| | | — | | | | | | — | | |    3
| | | — | | | | | | — | | |    1
              MS
```

Número de puntos múltiplo de 12 + 1 + 2 puntos orillo.
En las pasadas de vuelta tejer los puntos como aparecen o conforme a la muestra. Los arrollados tejerlos del revés. Trabajar una vez las pasadas 1-20, luego repetir siempre las pasadas 5-20.

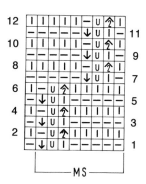

Número de puntos múltiplo de 8 + 1 + 2 puntos orillo.
En sentido horizontal repetir siempre el panel de puntos
y terminar con el punto posterior a dicho panel de puntos.
Repetir siempre las pasadas 1-12.

Número de puntos múltiplo de 12 + 1 + 2 puntos orillo.
En las pasadas de vuelta tejer del revés todos los puntos y los
arrollados. Repetir siempre las pasadas 1-10.

Número de puntos múltiplo de 12 + 3 + 2 puntos orillo.
En las pasadas de vuelta tejer los puntos como aparecen, tejer los
arrollados del revés. En sentido horizontal repetir siempre
el panel de puntos y terminar con los puntos hasta la flecha.
Repetir siempre las pasadas 1-20.

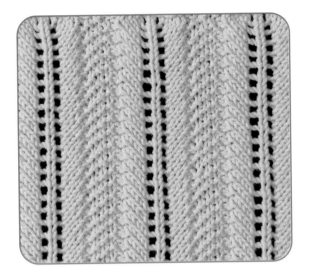

Los puntos de las pasadas de vuelta se tejen tal como aparecen. Tejer los arrollados del revés.

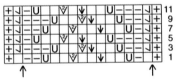

Los puntos de las pasadas de vuelta se tejen tal como aparecen. Tejer los arrollados del revés. En sentido vertical tejer una vez las pasadas 1-12, luego repetir siempre las pasadas 7-12.

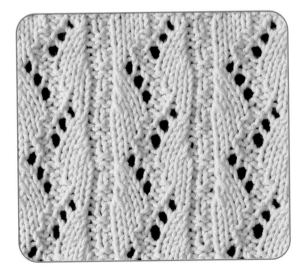

Los puntos de las pasadas de vuelta se tejen tal como aparecen. Tejer los arrollados del revés.

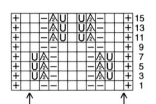

Los puntos de las pasadas de vuelta se tejen tal como aparecen.
Tejer los arrollados del revés.

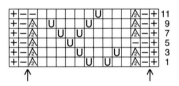

Los puntos de las pasadas de vuelta se tejen tal como aparecen.
Tejer los arrollados del revés.

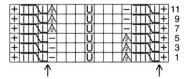

Los puntos de las pasadas de vuelta se tejen tal como aparecen.
Tejer los arrollados del revés.

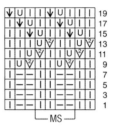

Los puntos de las pasadas de vuelta se tejen tal como aparecen. Tejer los arrollados del revés.

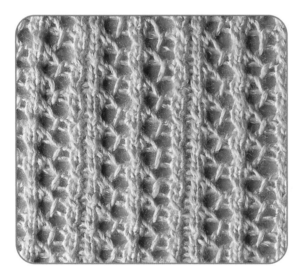

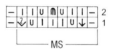

Los puntos de las pasadas de vuelta se tejen tal como aparecen. Tejer los arrollados del revés.

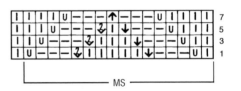

Número de puntos múltiplo de 16 + 1 + punto orillo.
Cada pasada comienza y termina con puntos orillo.
En todas las pasadas de vuelta no dibujadas, los puntos se tejen como aparecen; los arrollados del revés.

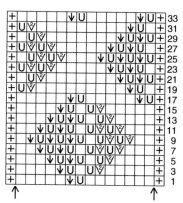

Tejer del revés las pasadas de vuelta. En sentido vertical tejer una vez las pasadas 1-34, luego repetir siempre las pasadas 3-34.

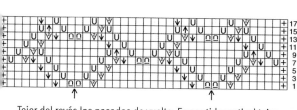

Tejer del revés las pasadas de vuelta. En sentido vertical tejer una vez las pasadas 1-18, luego repetir siempre las pasadas 7-18.

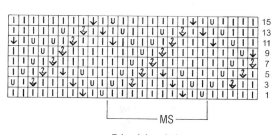

MS

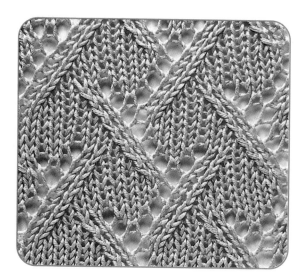

Tejer del revés las pasadas de vuelta.

Los puntos de las pasadas de vuelta se tejen tal como aparecen.
Tejer los arrollados del revés.

Los puntos de las pasadas de vuelta se tejen tal como aparecen.
Tejer los arrollados del revés.

Las pasadas de vuelta se tejen del revés.

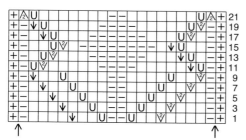

Las pasadas de vuelta se tejen del revés.

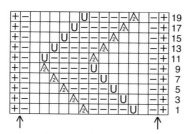

Las pasadas de vuelta se tejen del revés.

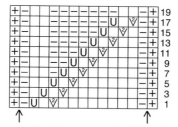

Las pasadas de vuelta se tejen del revés.

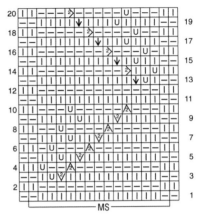

Tejer los puntos de las pasadas de vuelta tal como aparecen
o como se indique. Los arrollados se tejen del revés.
¡Atención! Las cuadrículas vacías no significan aquí nada.

¡Atención! Las cuadrículas vacías no significan aquí nada.

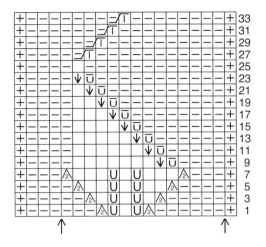

Tejer los puntos de las pasadas de vuelta tal como aparecen.

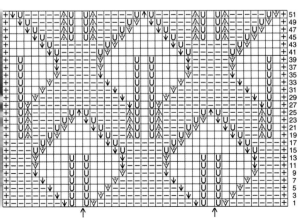

Tejer los puntos de las pasadas de vuelta tal como aparecen.

Tejer los puntos de las pasadas de vuelta tal como aparecen.
Los arrollados se tejen del revés.

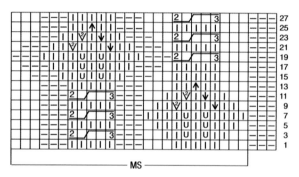

Tejer los puntos de las pasadas de vuelta tal como aparecen, los arrollados se tejen del revés.

Tejer los puntos de las pasadas de vuelta tal como aparecen, los arrollados se tejen del revés.
¡Atención! Las cuadrículas vacías no significan aquí nada.

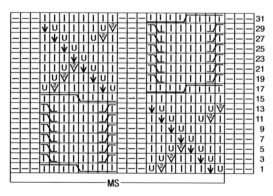

Tejer los puntos de las pasadas de vuelta tal como aparecen, los arrollados se tejen del revés.

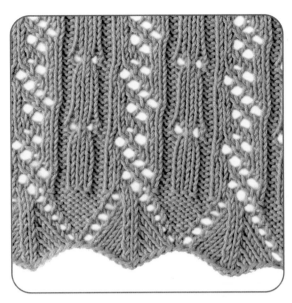

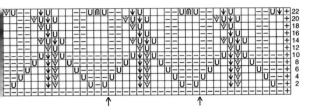

Tejer los puntos de las pasadas de vuelta tal como aparecen, los arrollados se tejen del revés. En sentido vertical tejer una vez las pasadas 1-23, luego repetir siempre las pasadas 12-23.

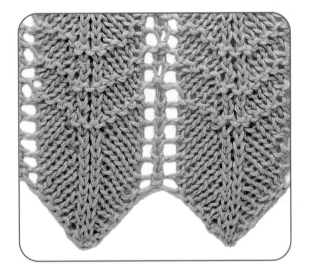

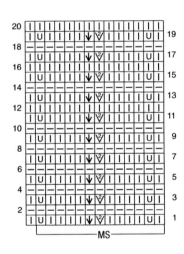

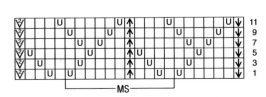

Tejer del revés las pasadas de vuelta.

Muestras con estructura

Las muestras con estructura se utilizan como elemento decorativo o en combinación con otras muestras. Los puntos de realce, los cordoncillos o los efectos de telar tienen una gran plasticidad. Cada pasada se teje con un solo color; aunque el cambio de color no se realiza dentro de la pasada, es posible realizar muestras con varios colores. Las letras situadas al costado de los esquemas de puntos indican los diferentes colores.

Mini curso de punto

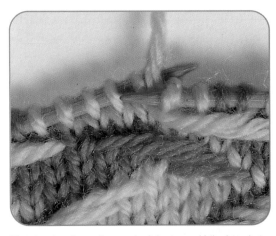

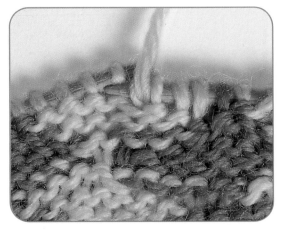

Muestra de telar en la pasada delantera: el hilo de trabajo se pone por delante de los puntos. El número de puntos se trabaja con la aguja derecha según la muestra; luego, como se ve en la foto, el hilo de trabajo se vuelve a poner por detrás de la labor y se sigue tejiendo.

Muestra de telar en la pasada de vuelta: el hilo de trabajo se desliza por detrás de los puntos. El número de puntos se trabaja según la muestra, con la aguja derecha; luego el hilo de trabajo se vuelve a poner por delante de la labor y se sigue tejiendo.

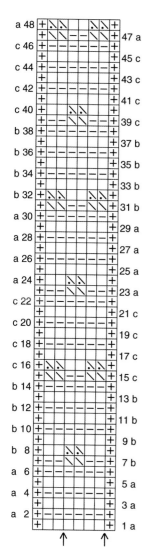

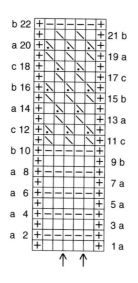

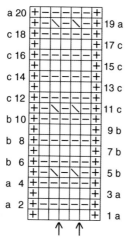

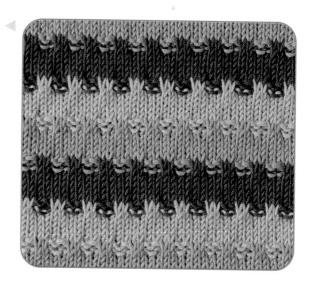

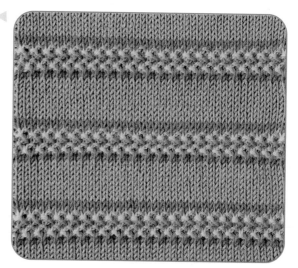

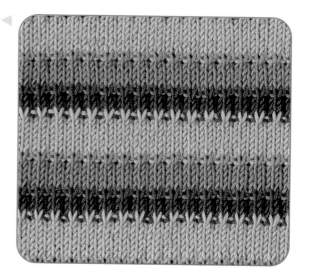

Tejer en sentido vertical una vez las pasadas 1-20, luego repetir siempre las pasadas 3-20.

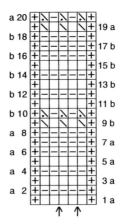

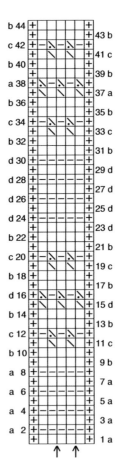

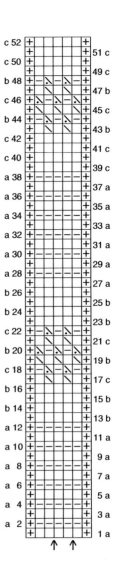

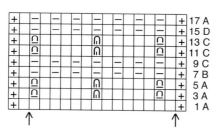

Tejer la pasada de vuelta del revés en el correspondiente color.
En sentido vertical repetir siempre las pasadas 3-18.

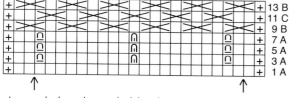

La pasada de vuelta se teje del revés en el color correspondiente.

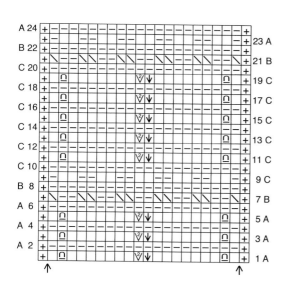

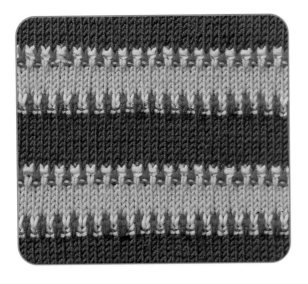

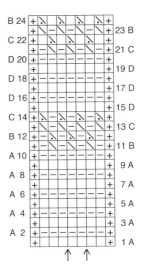

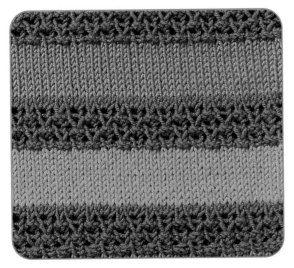

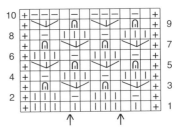

Cadencia de la muestra: 10 pasadas lisas del derecho en color A, pasadas 1-10 del esquema de puntos en color B, 10 pasadas lisas del derecho en color C, pasadas 1-10 del esquema de puntos en color B. ¡Atención! En este esquema de puntos las cuadrículas vacías no significan nada.

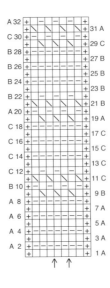

En sentido vertical repetir siempre las pasadas 3-32.

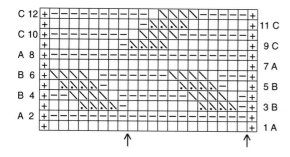

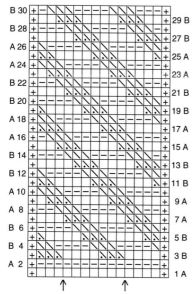

En sentido vertical repetir una vez las pasadas 1-30, luego repetir siempre las pasadas 3-30 y seguir la cadencia de colores según lo previsto.

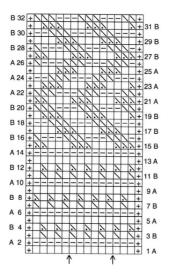

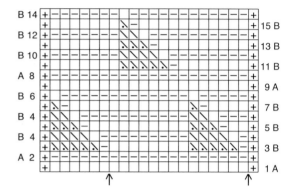

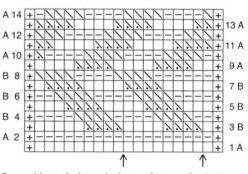

En sentido vertical repetir siempre las pasadas 3-14.

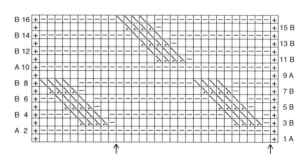

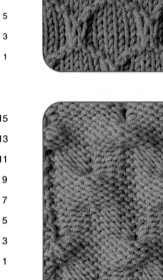

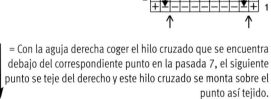 = Con la aguja derecha coger el hilo cruzado que se encuentra debajo del correspondiente punto en la pasada 7, el siguiente punto se teje del derecho y este hilo cruzado se monta sobre el punto así tejido.

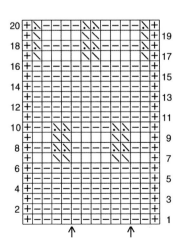

Muestras de trenzas

Las muestras con trenzas forman parte de la moda clásica del punto. Tejidas con hilos gruesos ofrecen un aspecto rústico y voluminoso ideal para el invierno; en cambio, con hilos finos y combinadas con muestras caladas quedan ligeras y como filigranas. El torcido de la trenza se obtiene al cerrar puntos por delante o detrás de la labor. De esta forma varía la secuencia de los puntos.

Mini curso de punto

Trenza sobre 6 puntos cruzada hacia la derecha: poner los primeros 3 puntos en una aguja auxiliar por detrás de la labor. Tejer del derecho los 3 puntos siguientes y luego los puntos de la aguja auxiliar.

Trenza sobre 6 puntos cruzada hacia la izquierda: poner los primeros 3 puntos en una aguja auxiliar situada por delante de la labor. Los siguientes 3 puntos se tejen del derecho y luego los puntos de la aguja auxiliar.

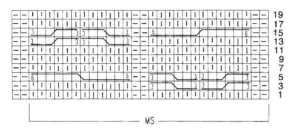

Número de puntos múltiplo de 28 + 2 puntos orillo.
Cada vuelta comienza y termina con puntos orillo.
Repetir siempre las pasadas 1-20.
Tejer los puntos de todas las pasadas rectas tal como aparecen.

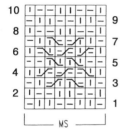

Número de puntos múltiplo de 8 + puntos orillo.
Cada pasada comienza y termina con puntos orillo.
Repetir siempre las pasadas 1-10.

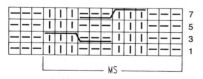

Número de puntos múltiplo de 12 + 3 + puntos orillo.
Cada pasada comienza y termina con puntos orillo.
2.ª y todas las pasadas rectas: tejer los puntos como aparecen.
Repetir siempre las pasadas 1-8.

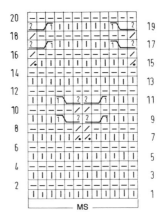

Número de puntos múltiplo de 12 + puntos orillo.
Cada pasada comienza y termina con puntos orillo.
Repetir siempre las pasadas 5-20.

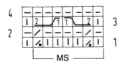

Número de puntos múltiplo de 7 + 1 + puntos orillo.
Cada pasada comienza y termina con puntos orillo.
Repetir siempre las pasadas 1-4.

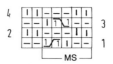

Número de puntos múltiplo de 5 + 2 + puntos orillo.
Cada pasada comienza y termina con puntos orillo.
Repetir siempre las pasadas 1-4.

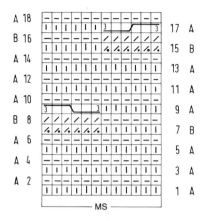

Número de puntos múltiplo de 12 + puntos orillo.
Cada pasada comienza y termina con puntos orillo.
Repetir siempre las pasadas 3-18.

Número de puntos múltiplo de 8 +
puntos orillo.
Cada pasada comienza y termina
con puntos orillo.
Repetir siempre las pasadas 1-28.

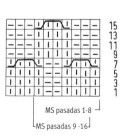

MS pasadas 1-8
MS pasadas 9 -16

Número de puntos múltiplo de 6 + 4 + puntos orillo.
Cada pasada comienza y termina con puntos orillo.
Repetir siempre las pasadas 1-16.
En todas las pasadas de vuelta no señalizadas tejer los puntos
como aparecen.

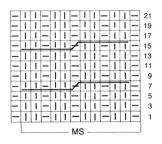

Número de puntos múltiplo de 12 + 1 + puntos orillo.
Cada pasada comienza y termina con puntos orillo.
La 2.ª y todas las pasadas rectas: tejer los puntos tal como aparecen.
Repetir siempre las pasadas 1-22.

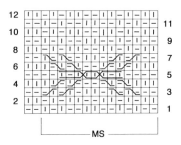

Número de puntos múltiplo de 14 + 2 + puntos orillo.
Cada pasada comienza y termina con puntos orillo.
Repetir siempre las pasadas 1-12.

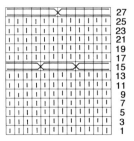

Trenza sobre 12 puntos.
2.ª pasada y todas las pasadas rectas: tejer los puntos tal
como aparecen. Repetir siempre las pasadas 5-28.

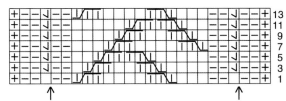

En las pasadas del revés de la labor los puntos se tejen tal como aparecen.
En sentido vertical tejer una vez las pasadas 1-14.
Repetir siempre las pasadas 3-14.

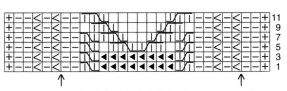

En las pasadas del revés de la labor los puntos se tejen tal como aparecen o como se indique. Los puntos cruzados se tejen del revés cruzados.

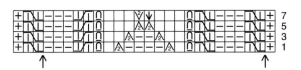

En las pasadas del revés de la labor los puntos se tejen tal como aparecen.

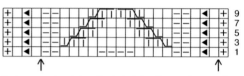

En las pasadas del revés de la labor los puntos se tejen tal como aparecen o como se indique.

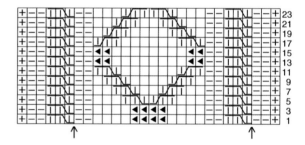

En las pasadas del revés de la labor los puntos se tejen tal como aparecen o como se indique.

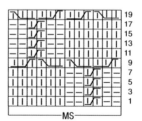

En las pasadas del revés de la labor los puntos se tejen tal como aparecen.

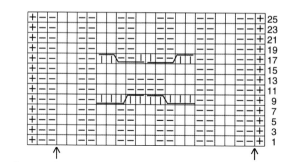

En las pasadas del revés de la labor los puntos se tejen tal como aparecen.

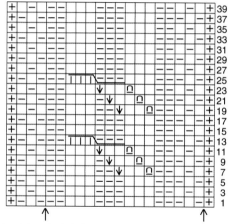

En las pasadas del revés de la labor los puntos se tejen tal como aparecen o como se indique.

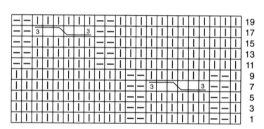

En las pasadas del revés de la labor los puntos se tejen tal como aparecen.

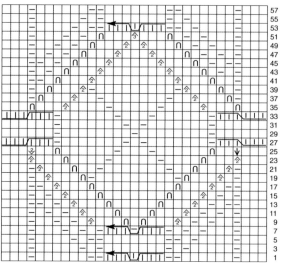

En las pasadas del revés de la labor los puntos se tejen tal como aparecen o como se indique.

En las pasadas del revés de la labor tejer todos los puntos de trenzas del revés.

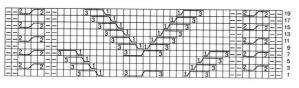

En las pasadas del revés de la labor los puntos se tejen tal como aparecen.

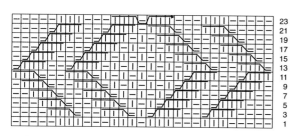

En las pasadas del revés de la labor los puntos se tejen tal como aparecen.
En sentido vertical tejer una vez las pasadas 1-24, luego repetir siempre las pasadas 3-34.

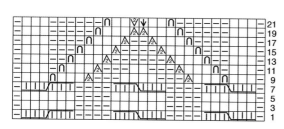

En las pasadas del revés de la labor los puntos se tejen tal como aparecen o como se indique.

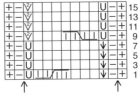

En las pasadas del revés de la labor los puntos se tejen tal como aparecen.

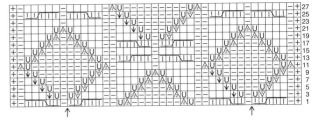

En las pasadas del revés de la labor los puntos se tejen tal como aparecen.

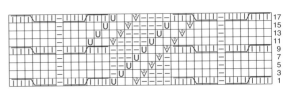

En las pasadas del revés de la labor los puntos se tejen tal como aparecen.
En sentido vertical repetir siempre las pasadas 3-18.

En las pasadas del revés de la labor los puntos se tejen tal como aparecen.

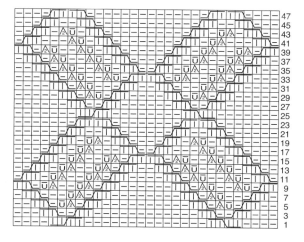

En las pasadas del revés de la labor los puntos se tejen tal como aparecen.

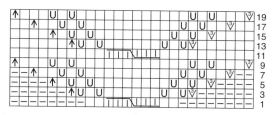

En las pasadas del revés de la labor los puntos se tejen tal como aparecen.
En sentido vertical tejer una vez las pasadas 1-20, luego repetir siempre las pasadas 11-20.

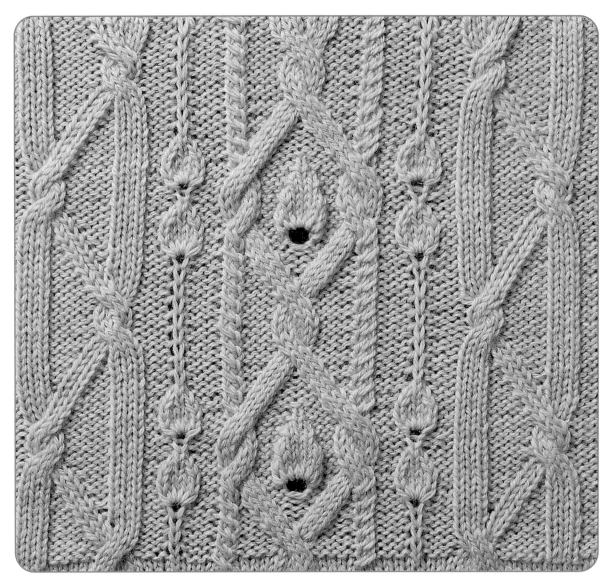

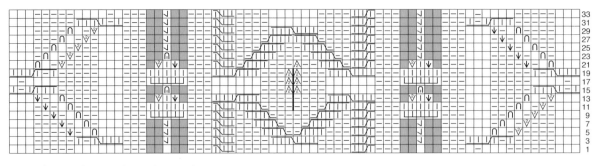

En sentido vertical repetir siempre las pasadas 3-33.

En las pasadas del revés de la labor los puntos se tejen tal como aparecen.

Las cuadrículas grises de este esquema de puntos no significan nada.

Para la explicación de los símbolos ver también la página 11.

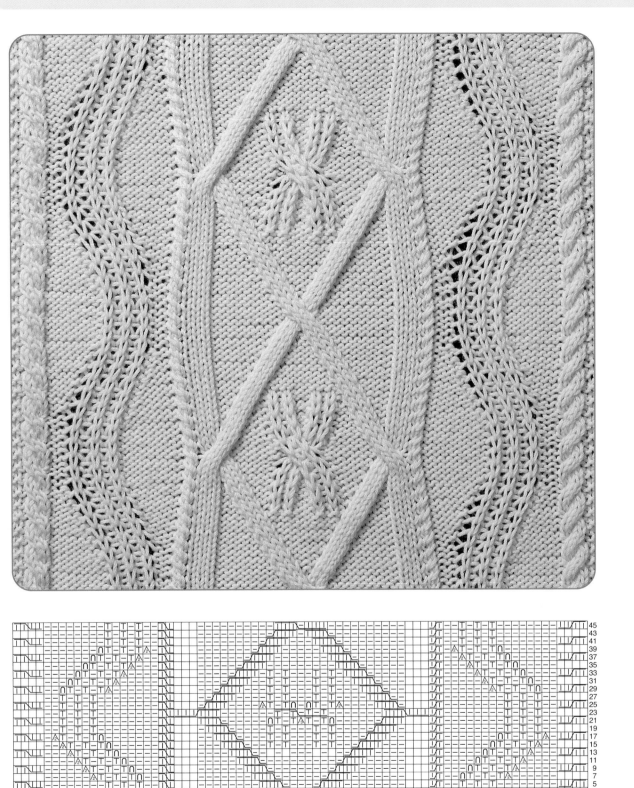

En las pasadas del revés de la labor los puntos se tejen tal como aparecen. En sentido vertical repetir siempre las pasadas 3-46.
Para la explicación de los símbolos ver también la página 11.

Muestras con bodoques

Los bodoques se utilizan con frecuencia como motivo decorativo para resaltar las muestras. Éstos se pueden trabajar de diversas maneras. De un punto o de un hilo cruzado se sacan varios puntos y se tejen por encima en varias pasadas. Los bodoques pueden también tejerse a ganchillo posteriormente. Los símbolos para los respectivos bodoques se explican directamente en las muestras de los puntos.

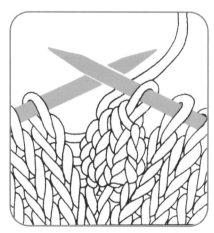

Tejer bodoques: en el lado delantero de la labor sacar 3 puntos y tejerlos. Sobre estos puntos tejer algunas pasadas del derecho o como se indique. Sacar los puntos uno detrás de otro sobre 1 punto y deslizarlos a la aguja derecha.

Hacer bodoques a ganchillo: clavar el ganchillo en el punto correspondiente, sacar una lazada y hacer un punto al aire. En este punto al aire tejer 3-5 bastoncillos semicerrados, cerrar con una lazada y luego deslizar el punto a la aguja derecha.

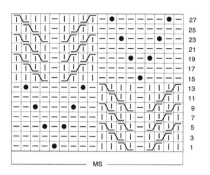

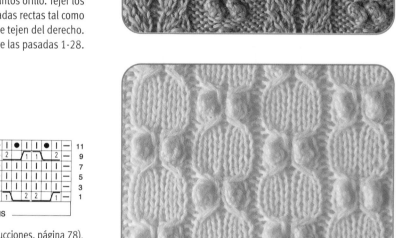

☐• = 1 bodoque (ver Instrucciones, página 78).

Número de puntos múltiplo de 18 + puntos orillo.
Cada pasada comienza y termina con puntos orillo. Tejer los
puntos de la 2.ª pasada y de todas las pasadas rectas tal como
aparecen; los puntos del bodoque se tejen del derecho.
Repetir siempre las pasadas 1-28.

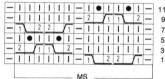

☐• = 1 bodoque (ver Instrucciones, página 78).

Número de puntos múltiplo de 14 + 1 + puntos orillo.
Cada pasada comienza y termina con puntos orillo. Tejer los puntos de
la 2.ª pasada y de todas las pasadas rectas tal como aparecen; los puntos
del bodoque se tejen del revés. Repetir siempre las pasadas 1-12.

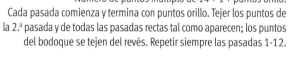

☐• = 1 bodoque (ver Instrucciones, página 78).

Número de puntos múltiplo de 22 + 1 + puntos orillo.
Cada pasada comienza y termina con puntos orillo. Tejer los puntos
de la 2.ª pasada y de todas las pasadas rectas tal como aparecen;
los puntos del bodoque se tejen del derecho.
Repetir siempre las pasadas 1-12.

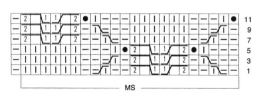

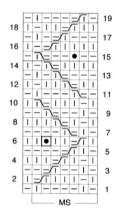

⊡ = 1 bodoque (ver Instrucciones, página 78).

◉ = 1 bodoque en la pasada del revés de la labor se trabaja como un bodoque normal, pero en lugar de puntos del derecho se sacan para tejer puntos del revés y sobre los puntos del bodoque se teje del revés. Oprimir el bodoque en la parte delantera de la labor.

Número de puntos múltiplo de 7 + 1 + puntos orillo.
Cada pasada comienza y termina con puntos orillo.
Repetir siempre las pasadas 2-19.

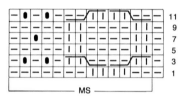

⊡ = 1 bodoque (ver Instrucciones, página 78).

Número de puntos múltiplo de 13 + 1 + puntos orillo.
Cada pasada comienza y termina con puntos orillo.
La 2.ª y todas las pasadas rectas: tejer los puntos tal como aparecen; los puntos del bodoque se tejen del derecho.

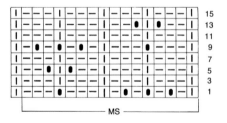

⊡ = 1 bodoque (ver Instrucciones, página 78).

Número de puntos múltiplo de 16 + 1 + puntos orillo.
Cada pasada comienza y termina con puntos orillo.
La 2.ª y todas las pasadas rectas: 1 punto del revés,
* 3 puntos del derecho, 1 punto del revés, a partir de * repetir.

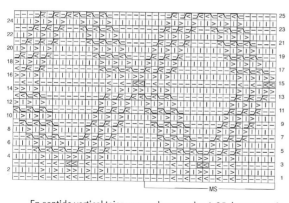

En sentido vertical tejer una vez las pasadas 1-25, luego repetir siempre las pasadas 2-25.
¡Atención! En las pasadas 13 y 17 del panel de puntos desplazar cada vez 1 punto hacia la izquierda.

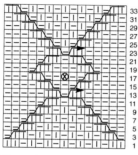

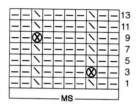 = 1 bodoque: tejer a ganchillo en el punto 3 puntos al aire y 6 bastoncillos semicerrados, cerrar juntos y ponerlo en la aguja derecha.

En las pasadas del revés de la labor los puntos se tejen tal como aparecen, los puntos del bodoque se tejen del derecho.
En sentido vertical tejer una vez las pasadas 1-34, luego repetir siempre las pasadas 3-34.

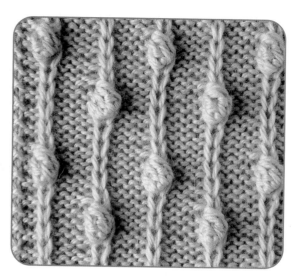

⊗ = 1 bodoque: tejer a ganchillo en el punto 3 puntos al aire y 6 bastoncillos semicerrados, cerrar juntos y ponerlo en la aguja derecha.

En las pasadas del revés de la labor tejer los puntos como aparecen; los puntos deslizados y los del bodoque se tejen del revés.

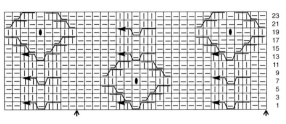

● = 1 bodoque: tejer a ganchillo en el punto 3 puntos al aire y 4 bastoncillos semicerrados, cerrar juntos y coger con la aguja derecha.
En las pasadas del revés de la labor tejer los puntos tal como aparecen, los puntos del bodoque se tejen del derecho.

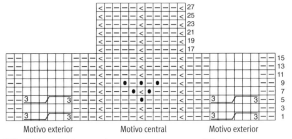

Motivo exterior   Motivo central   Motivo exterior

⊠ + ● = 1 bodoque: de 1 punto sacar un total de 5 puntos (alternando 1 punto del derecho y 1 arrollado), girar, 5 puntos del revés, girar, 5 puntos del derecho, girar, 5 puntos del revés, girar, 5 puntos del derecho, 5 puntos del revés, girar, pasar por encima del 1.er punto el 2.º, 3.º, 4.º y 6.º punto, uno detrás del otro, poner el bodoque en la aguja derecha.
En las pasadas del revés de la labor, tejer los puntos como aparecen; los puntos del bodoque tejerlos del derecho.

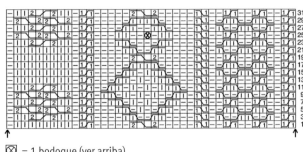

⊠ = 1 bodoque (ver arriba).

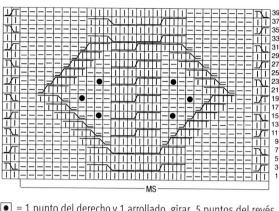

● = 1 punto del derecho y 1 arrollado, girar, 5 puntos del revés, girar, 5 puntos del derecho, girar, 5 puntos del revés, girar, tejer juntos 5 puntos del derecho. En las pasadas del revés de la labor tejer los puntos como aparecen. Los puntos de bodoques tejerlos del derecho. En sentido vertical tejer una vez las pasadas 1-40, luego repetir siempre las pasadas 3-40.

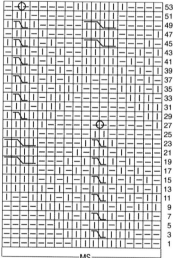

○ = 1 bodoque: en los hilos cruzados tejer a ganchillo 3 puntos al aire y 6 bastoncillos semicerrados, cerrar juntos, coger los puntos con la aguja izquierda y con el siguiente punto tejer juntos del revés.

En las pasadas del revés de la labor tejer los puntos tal como aparecen, los puntos del bodoque se tejen del derecho. En sentido vertical tejer una vez las pasadas 1-54, luego repetir siempre las pasadas 3-54.

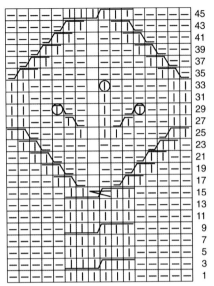

◻ = 1 bodoque: a continuación tejer 6 puntos o a voluntad tejer muchos puntos ojal en dos pasadas.

En las pasadas del revés de la labor tejer los puntos como aparecen. En sentido vertical tejer una vez las pasadas 1-46, luego repetir siempre las pasadas 5-46.
¡Atención! Las cuadrículas vacías aquí no significan nada.

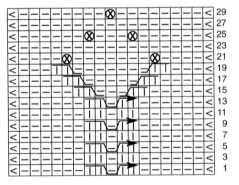

⊗ = 1 bodoque: tejer a ganchillo en el punto 3 puntos al aire y 4 bastoncillos semicerrados, cerrar juntos, tirar fuerte con 1 punto de cadeneta y coger con la aguja de la derecha.

En las pasadas del revés de la labor los puntos se tejen como aparecen. Tejer los puntos de bodoque del derecho; los puntos cruzados del derecho se tejen cruzados del revés.

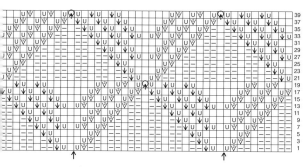

○ = 1 bodoque: a continuación del punto, tejer a ganchillo 4 puntos al aire y 6 bastoncillos dobles semicerrados, cerrar juntos.

En las pasadas del revés de la labor tejer los puntos como aparecen, los arrollados se tejen del revés.

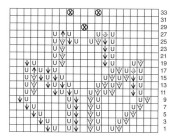

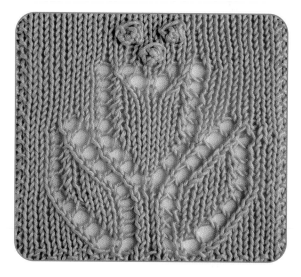

⊗ = 1 bodoque: de 1 punto sacar un total de 5 puntos (alternando 1 punto del derecho y 1 punto del derecho cruzado), girar, 5 puntos del derecho, girar, 4 puntos del derecho y montar el 3.º, 2.º y 1.er punto del derecho, uno detrás de otro sobre el 4.º punto, deslizar 1 punto del revés (hilo por detrás); en la siguiente pasada del revés de la labor tejer juntos 2 puntos del revés. En las hileras del revés de la labor, los puntos y los arrollados se tejen del revés. Los puntos del bodoque como se indique.

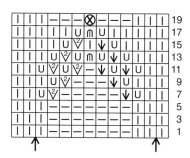

⊗ = 1 bodoque: de 1 punto sacar un total de 5 puntos (alternando 1 punto del derecho y 1 punto del derecho cruzado), luego pasar el 4.º, 3.º, 2.º y 1.er punto uno detrás del otro sobre el 5.º punto.

En las pasadas del revés de la labor tejer los puntos como aparecen, tejer los arrollados del revés y los puntos de bodoques del derecho.

Muestras de fantasía

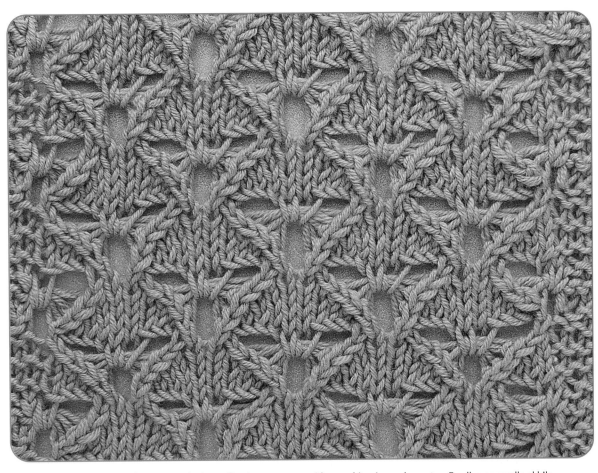

Las muestras de fantasía combinan unas técnicas refinadas y unas escogidas combinaciones de puntos. En ellas se enrolla el hilo alrededor de la aguja, las lazadas se extienden hacia arriba, se sueltan varios puntos y luego se vuelven a recoger o simplemente se cruzan puntos del derecho y del revés. Los siguientes ejemplos muestran una gran variedad creativa e impulsan a realizar una labor muy personal.

Mini curso de punto

1 punto del derecho cruzado: poner el hilo por detrás de la labor. Con la aguja derecha, clavar desde delante en la parte de atrás del siguiente punto y recoger el hilo.

1 punto del revés cruzado: poner el hilo por delante de la labor. Con la aguja derecha, coger por detrás la parte de atrás del punto y recoger el hilo.

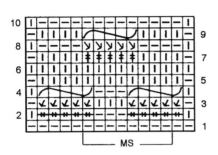

Número de puntos múltiplo de 8 + 7 + puntos orillo.
Cada pasada comienza y termina con puntos orillo.
Repetir siempre las pasadas 1-10.
En todas las pasadas no señalizadas del revés de la labor, tejer
los puntos como aparecen; tejer los arrollados del revés.

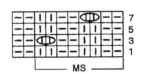

Número de puntos múltiplo de 8 + 7 + puntos orillo.
Cada pasada comienza y termina con puntos orillo.
La 2.ª pasada y todas las pasadas rectas: tejer los
puntos como aparecen.
Repetir siempre las pasadas 1-8.
En todas las pasadas del revés de la labor no señalizadas, tejer
los puntos como aparecen; los arrollados del revés.

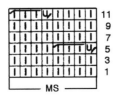

Número de puntos múltiplo de 8 + puntos orillo.
Comenzar y terminar cada pasada con puntos orillo.
Repetir siempre las pasadas 1-12.
En todas las pasadas no señalizadas los puntos se tejen como
aparecen; los arrollados se tejen del revés.

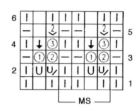

Número de puntos múltiplo de 3 + puntos orillo.
Cada pasada comienza y termina con puntos orillo.
Repetir siempre las pasadas 1-6.
Las cuadrículas vacías no significan nada.

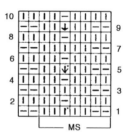

 = clavar en los puntos situados por debajo señalados con *, coger las lazadas y sacarlas hacia arriba.

Número de puntos múltiplo de 7 + 2 + punto orillo.
Cada pasada comienza y termina con puntos orillo.
Repetir siempre las pasadas 3-6.

Número de puntos múltiplo de 3 + puntos orillo.
Cada pasada comienza y termina con puntos orillo.
Repetir siempre las pasadas 1- 6.

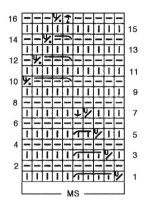

Número de puntos múltiplo de 10 + puntos orillo.
Cada pasada comienza y termina con puntos orillo.
Repetir siempre las pasadas 1-16.

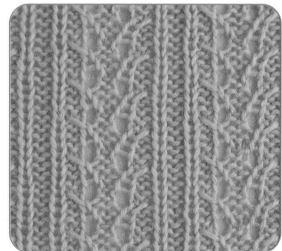

Número de puntos múltiplo de 12 + 1 + puntos orillo.
Cada pasada comienza y termina con puntos orillo.
Repetir siempre las pasadas 1-4.

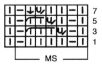

Número de puntos múltiplo de 7 + 1 + punto orillo.
Cada pasada comienza y termina con puntos orillo.
Repetir siempre las pasadas 1-8.
La 2.ª pasada y todas las pasadas rectas, tejerlas como
aparecen; tejer los arrollados del revés.

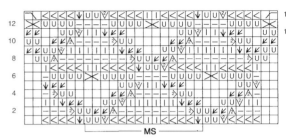

Número de puntos múltiplo de 14 + 12 + 2 puntos orillo. Las cuadrículas vacías no se tienen en cuenta. En sentido horizontal comenzar con los puntos de delante del panel de puntos, repetir siempre este panel y terminar los puntos detrás del panel de puntos. Tejer una vez las pasadas 1-13, luego repetir siempre las pasadas 2-13.

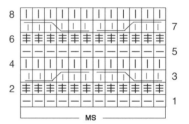

Número de puntos múltiplo de 12 + 2 puntos orillo. Repetir siempre las pasadas 1-8.

Número de puntos múltiplo de 3 + 1 + 2 puntos orillo. En las pasadas del revés de la labor, tejer los puntos como aparecen o como se indique. En sentido horizontal comenzar con los puntos de delante del panel de puntos, repetir siempre el panel de puntos y terminar con los puntos posteriores al panel de puntos. Repetir siempre las pasadas 1-8.

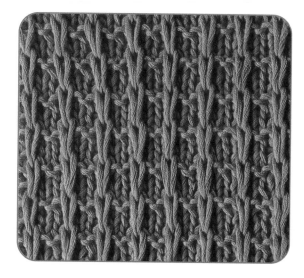

Número de puntos múltiplo de 5 + puntos orillo.
Cada pasada comienza y termina con puntos orillo.
Repetir siempre las pasadas 1-10.

Número de puntos múltiplo de 3 + 2 + puntos orillo.
Cada pasada comienza y termina con puntos orillo.
Repetir siempre las pasadas 1-4.

 = 1 punto ramillete: pinchar en los puntos que
se ven en el esquema de puntos (4 pasadas más abajo), sacar
una lazada y ponerla en la aguja derecha.

Número de puntos múltiplo de 6 + 2 + puntos orillo.
Cada pasada comienza y termina con puntos orillo.
Repetir siempre las pasadas 1-12.

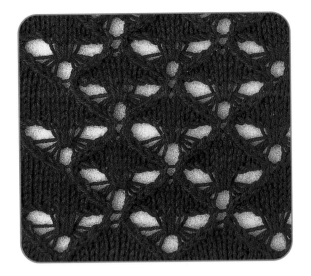

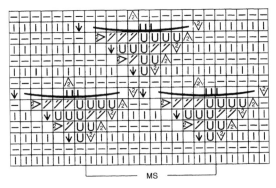

Número de puntos múltiplo de 12 + 2 puntos orillo. Las cuadrículas vacías no significan nada. Tejer una vez las pasadas 1-14, luego repetir siempre las pasadas 3-14.

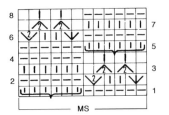

Número de puntos múltiplo de 8 + 2 puntos orillo. Las cuadrículas vacías no significan nada. Repetir siempre las pasadas 1-8.

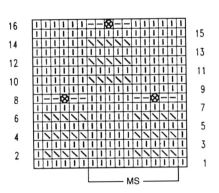

Número de puntos múltiplo de 10 + 7 + puntos orillo. Cada pasada comienza y termina con puntos orillo. Repetir siempre las pasadas 1-16.

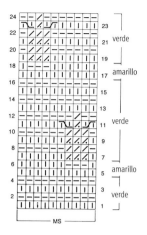

Número de puntos múltiplo de 10 + 2 puntos orillo. Repetir siempre las pasadas 1-24 y tener en cuenta el cambio de color.

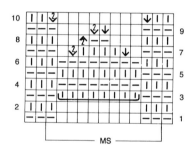

Número de puntos múltiplo de 3 + 2 puntos orillo. Las cuadrículas vacías no significan nada. Repetir siempre las pasadas 1-10.

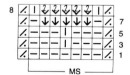

Número de puntos múltiplo de 8 + 1 + 2 puntos orillo. Los puntos de las pasadas del revés de la labor que no aparecen dibujados, se tejen como aparecen; los puntos deslizados se tejen cruzados del revés. Repetir siempre las pasadas 1-8.

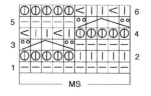

Número de puntos múltiplo de 10 + 2 puntos orillo.
Tejer una vez las pasadas 1-6, luego repetir siempre las pasadas 3-6.

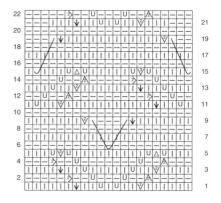

Número de puntos múltiplo de 20 + 1 + 2 puntos orillo.
En sentido horizontal repetir siempre el panel de puntos y terminar con el punto posterior al panel de puntos.
Trabajar una vez las pasadas 1-22, luego repetir siempre las pasadas 3-22.

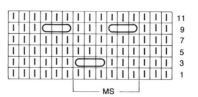

Número de puntos múltiplo de 6 + 3 + puntos orillo.
Cada pasada comienza y termina con puntos orillo.
2.ª y todas las pasadas rectas: tejer los puntos tal como aparecen.
Repetir siempre las pasadas 1-12.

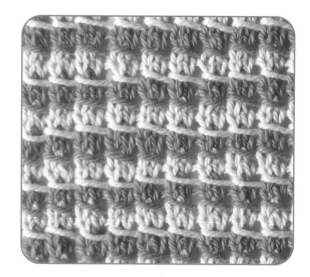

4 fresa · 3 fresa
2 rosa · 1 rosa

MS

Número de puntos múltiplo de 2 + puntos orillo.
Cada pasada comienza y termina con puntos orillo.
Repetir siempre las pasadas 1-4.

7
5
3
1

MS

Número de puntos múltiplo de 5 + 1 + puntos orillo.
Cada pasada comienza y termina con puntos orillo.
Tejer la 2.ª y todas las pasadas rectas como aparecen.
Repetir siempre las pasadas 1-8.

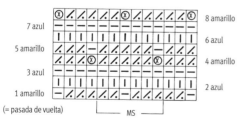

7 azul · 8 amarillo
· 6 azul
5 amarillo ·
· 4 amarillo
3 azul ·
1 amarillo · 2 azul
(= pasada de vuelta)

MS

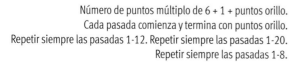 = pinchar con la aguja debajo del hilo cruzado amarillo, el
siguiente punto del derecho, luego sacar este punto por debajo del
hilo cruzado.

Número de puntos múltiplo de 6 + 1 + puntos orillo.
Cada pasada comienza y termina con puntos orillo.
Repetir siempre las pasadas 1-12. Repetir siempre las pasadas 1-20.
Repetir siempre las pasadas 1-8.

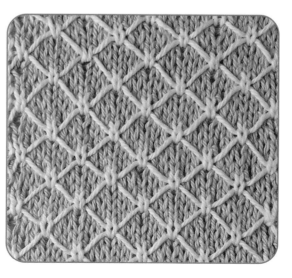

Muestras irlandesas

Las muestras irlandesas se caracterizan por la compleja combinación de varias muestras, lo que realza el hilo utilizado y da volumen al tejido. Por eso, en general en el centro se sitúan unas trenzas que pueden ser sencillas o muy sofisticadas (con frecuencia se tejen con 2 agujas auxiliares). Éstas se rodean de bodoques, ramas y muestras con relieve. Los bodoques pueden trabajarse de formas muy diversas, por lo que los símbolos se explican directamente en las respectivas muestras.

Mini curso de punto

Trenzados con 2 agujas auxiliares: poner 4 puntos (o como se indique) en la 1.ª aguja auxiliar por delante de la labor, los siguientes 2 puntos de la aguja izquierda se ponen en una 2.ª aguja auxiliar por detrás de la labor.

Tejer del derecho, o como se indique, primero los siguientes 4 puntos de la aguja izquierda, luego tejer del revés los 2 puntos de la 2.ª aguja auxiliar. Por último, tejer del derecho los 4 puntos de la 1.ª aguja auxiliar.

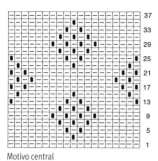

Motivo central

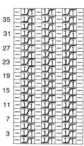

Motivo exterior

⬛ = 1 bodoque: con el ganchillo coger 1 punto, 1 punto al aire, cerrar juntos 4 bastoncillos semicerrados y tejer 1 punto al aire, volver a coger los puntos con la aguja derecha.

Repetir siempre el motivo central (sobre 19 puntos). Pasadas 1-36. Tejer el motivo exterior (sobre 10 puntos). 2.ª pasada y todas las del revés de la labor: tejer los puntos como aparecen. Repetir siempre las pasadas 1 y 2.

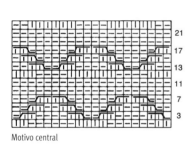

Motivo central

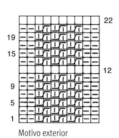

Motivo exterior

Tejer el motivo central (sobre 20 puntos). En la 2.ª pasada y en todas las pasadas rectas (excepto en las pasadas 12 y 22) los puntos se tejen como aparecen. Repetir siempre las pasadas 1-22.

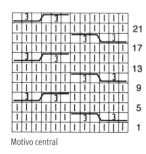

Motivo central

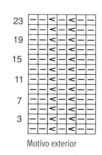

Motivo exterior

Tejer el motivo exterior (sobre 7 puntos). 2.ª pasada: tejer los puntos como aparecen. Repetir siempre las pasadas 1 y 2.

Tejer el motivo central (sobre 12 puntos). 2.ª y restantes pasadas del revés de la labor se tejen como aparecen. Repetir siempre las pasadas 1-8.

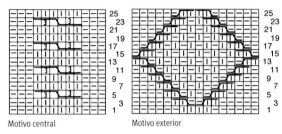

Motivo central   Motivo exterior

Motivo exterior (sobre 12 puntos). 2.ª y todas las pasadas del revés de la labor: los puntos se tejen como aparecen.
Repetir siempre las pasadas 1-6.

Motivo central (sobre 16 puntos). 2.ª y todas las pasadas del revés de la labor: los puntos se tejen como aparecen.
Repetir siempre las pasadas 1-26.

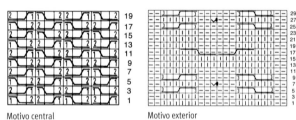

Motivo central   Motivo exterior

↲ ver página 6.
Motivo exterior (sobre 12 puntos). 2.ª y todas las pasadas rectas: puntos del revés. Repetir siempre las pasadas 1-4.

Motivo central (sobre 20 puntos). 2.ª y todas las pasadas rectas se tejen como aparecen. Repetir siempre la pasada 30.

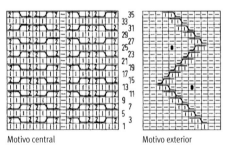

Motivo central   Motivo exterior

[•] = ver página 93 arriba

Motivo central (sobre 17 puntos). Repetir siempre las pasadas 1-8.
2.ª y todas las pasadas del revés de la labor se tejen como aparecen.
Motivo exterior (sobre 12 puntos). Repetir siempre las pasadas 3-26.
En la 2.ª y todas las pasadas del revés tejer los puntos como aparecen.

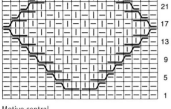

Motivo central

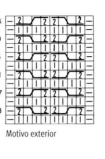

Motivo exterior

Motivo central (sobre 18 pasadas).
2.ª y todas las pasadas rectas: tejer los puntos como aparecen.
Repetir siempre las pasadas 3-24.

Motivo exterior (sobre 10 puntos).
todas las pasadas del revés de la labor: tejer los puntos como aparecen.
Repetir siempre las pasadas 1-8.

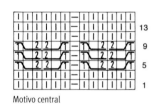

Motivo central

Motivo exterior

Motivo central (sobre 13 pasadas).
das las pasadas del revés de la labor: tejer los puntos como aparecen.
Repetir siempre las pasadas 1-12.

Motivo exterior (sobre 10 puntos).
das las pasadas del revés de la labor: tejer los puntos como aparecen.
Repetir siempre las pasadas 1-6.

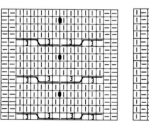

Motivo exterior   Motivo central

♦ Ver página 6

Motivo exterior (sobre 16 puntos). 2.ª y todas las pasadas del revés
de la labor: tejer los puntos según aparecen.
Repetir siempre las pasadas 1-10.
Motivo central (sobre 19 puntos). 2.ª y todas las pasadas del revés
de la labor: tejer los puntos como aparecen.
Repetir siempre las pasadas 1-30.

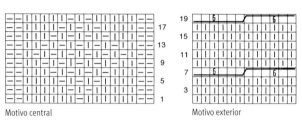

Motivo central

Motivo exterior

Motivo central (sobre 17 puntos).
2.ª y todas las pasadas rectas: tejer los puntos como aparecen.
Repetir siempre las pasadas 1-20.

Motivo exterior (sobre 12 puntos).
2.ª y todas las pasadas del revés de la labor: puntos del revés.
Repetir siempre las pasadas 9-20; antes y después de la trenza tejer como mínimo 2 puntos del revés para que no se encoja.

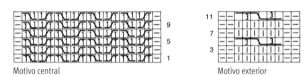

Motivo central

Motivo exterior

Motivo exterior (sobre 10 puntos).
2.ª y todas las pasadas del revés de la labor: tejer los puntos como aparecen. Repetir siempre las pasadas 1-6.

Motivo central (sobre 18 puntos).
2.ª pasada: tejer los puntos como aparecen
Repetir siempre las pasadas 1 y 2.

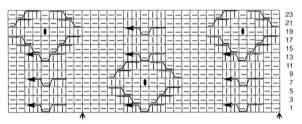

⊡ = 1 bodoque: tejer a ganchillo en los puntos 3 puntos al aire y 3 bastoncillos semicerrados, cerrar juntos y coger con la aguja derecha.

En las pasadas del revés de la labor tejer los puntos como aparecen. Los puntos de los bodoques se tejen del derecho.

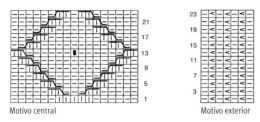

Motivo central · Motivo exterior

⬛ = 1 bodoque: coger un punto con el ganchillo, cerrar juntos 1 punto al aire y 4 bastoncillos semicerrados y tejer 1 punto al aire, volver a coger los puntos en la aguja derecha.

Motivo exterior (sobre 7 puntos). 2.ª y todas las pasadas rectas: tejer los puntos como aparecen. Repetir siempre las pasadas 1 y 2.

Motivo central (sobre 17 puntos). 2.ª y todas las pasadas rectas: tejer los puntos como aparecen. Repetir siempre las pasadas 1-24.

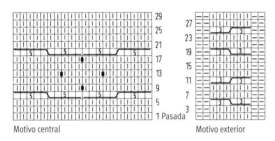

Motivo central · Motivo exterior

⬥ ver Página 6

Motivo exterior (sobre 10 puntos). 2.ª y todas las pasadas rectas: tejer los puntos como aparecen. Repetir siempre las pasadas 5-18.

Motivo central (sobre 20 puntos). 2.ª y todas las pasadas rectas: tejer los puntos como aparecen.

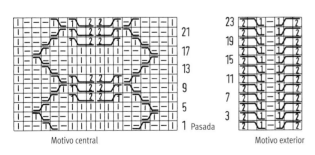

Motivo central · Motivo exterior

Motivo exterior (sobre 7 puntos). 2.ª y todas las pasadas rectas: 3 puntos revés, 1 punto derecho, 3 puntos revés.

Motivo central (sobre 18 puntos). 2.ª y todas las pasadas rectas: tejer los puntos como aparecen. Repetir siempre las pasadas 1-12.

Muestras con figuras

Como los puntos de estas muestras son simétricos, pueden así trabajarse exactamente tanto las formas redondas como las angulares. En estas muestras encontramos motivos geométricos con líneas rectas y otros inspirados en la naturaleza, de formas onduladas. Para que resalten los motivos, éstos se trabajan con fondos en punto liso del derecho o con fondos en punto liso del revés. Los motivos pueden también bordarse.

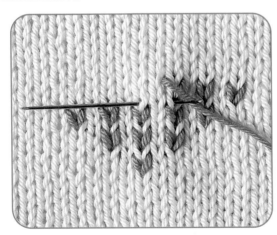

Bordar puntos: clavar por debajo del hilo cruzado del punto, con la aguja enganchar la parte superior del punto. Clavar en el centro del punto y llevar la aguja hacia el siguiente punto a bordar.

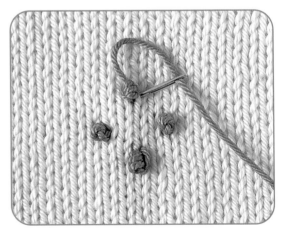

Bordado de avellanas: clavar la aguja y, según el grosor de la avellana, enlazar alrededor de la aguja. Sujetar la lazada en la aguja con el dedo pulgar, pasar la aguja y pinchar junto al lugar donde ésta se ha clavado.

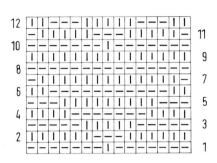

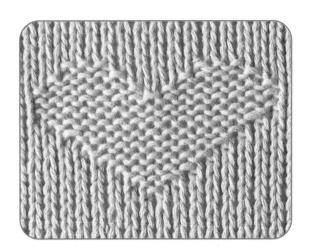

Motivo sobre 15 puntos, en fondo liso del derecho; 1 pasada (= pasada del revés de la labor).

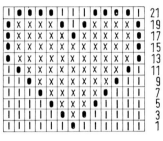

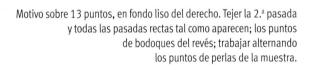 = clavar 1 bodoque con el ganchillo en el siguiente punto, sacar 3 veces 1 arrollado y lazada, luego cerrar de una vez todas las lazadas que se encuentran en la aguja y poner el punto en la aguja derecha.

Motivo sobre 13 puntos, en fondo liso del derecho. Tejer la 2.ª pasada y todas las pasadas rectas tal como aparecen; los puntos de bodoques del revés; trabajar alternando los puntos de perlas de la muestra.

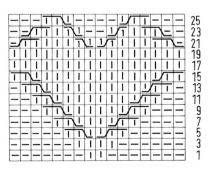

Motivo sobre 16 puntos, en fondo liso del revés, y todas las filas rectas: tejer los puntos como aparecen.

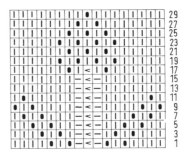

⬤ = 1 bodoque (Instrucciones, página 78).

Motivo sobre 17 puntos en fondo liso del derecho.
Los puntos de todas las pasadas del revés de la labor no
dibujados, tejerlos como aparecen; los arrollados, puntos
deslizados y puntos de bodoques se tejen del revés; los puntos
del derecho cruzados tejerlos cruzados del revés.

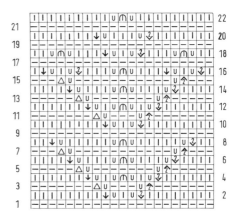

Motivo sobre 21 puntos, en fondo liso del derecho.
1.ª pasada (= pasada del revés de la labor): puntos del revés.

Motivo sobre 13 puntos, en pasadas con fondo liso del derecho.
2.ª y todas las pasadas rectas: tejer los puntos como aparecen,
tejer del revés los puntos deslizados.

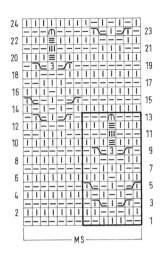

Motivo sobre 7 puntos, en fondo liso del revés.

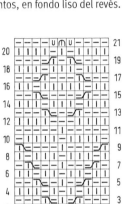

Motivo sobre 11 puntos, en fondo liso del revés.
2.ª y todas las pasadas rectas (salvo la pasada 12):
tejer los puntos como aparecen.

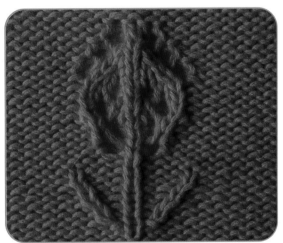

Motivo sobre 9 puntos, en fondo liso del revés.
2.ª y todas las pasadas rectas: tejer los puntos como aparecen,
los arrollados se tejen del revés.

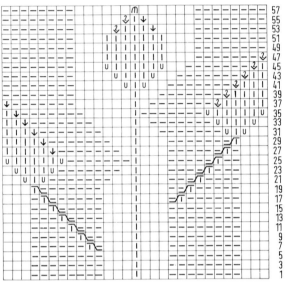

Motivo sobre 17 puntos, en fondo liso del revés.

2.ª y todas las pasadas rectas: tejer los puntos como aparecen, los arrollados se tejen del revés.

Las cuadrículas vacías no significan nada.

⊡ = 1 bodoque (ver Instrucciones, página 78).

Motivo sobre 21 puntos, en fondo liso del revés.

2.ª y todas las pasadas rectas: tejer los puntos como aparecen, los puntos del derecho cruzados se tejen del revés cruzados, los puntos de bodoques se tejen del revés.

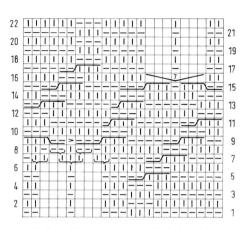

Motivo sobre 17 puntos, en fondo liso del revés.
Las cuadrículas vacías no significan nada.

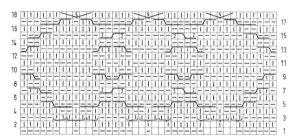

Motivo sobre 27 puntos (el número de puntos varía), en fondo
liso del revés. 1.ª pasada: puntos del revés.
2.ª y todas las pasadas rectas (excepto la pasada 18): tejer los
puntos como aparecen. Las cuadrículas vacías no significan nada.

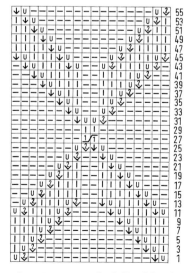

Motivos sobre 18 puntos, en fondo liso del revés.

Motivo sobre 11 puntos, en fondo liso del revés.
2.ª y todas las pasadas rectas: los puntos se tejen como aparecen.
Tejer los arrollados del revés.

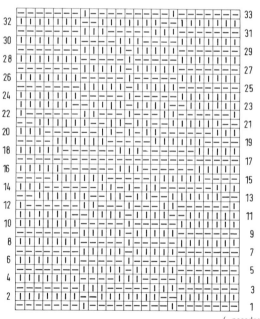

Motivo sobre 25 puntos, en fondo liso del derecho.

(= pasadas del revés de la labor)

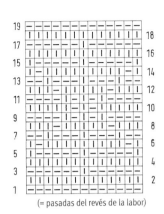

(= pasadas del revés de la labor)

Motivo sobre 13 puntos, en fondo liso del derecho.

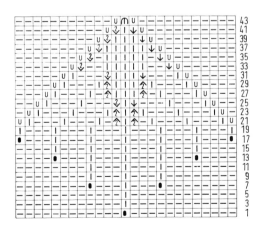

⊡ = 1 bodoque (ver Instrucciones, página 78).

Motivo sobre 25 puntos, en fondo liso del revés.
2.ª y todas las pasadas rectas: tejer los puntos como aparecen.
Arrollados del revés, tejer del derecho los puntos del bodoque.

Muestras con figuras

Motivo sobre 30 puntos, en fondo liso del revés.

Los números simbolizan las pasadas de los Esquemas de puntos expuestos por separado. Por ejemplo, un "tres" significa la 3.ª fila del esquema de puntos correspondiente a la hoja.

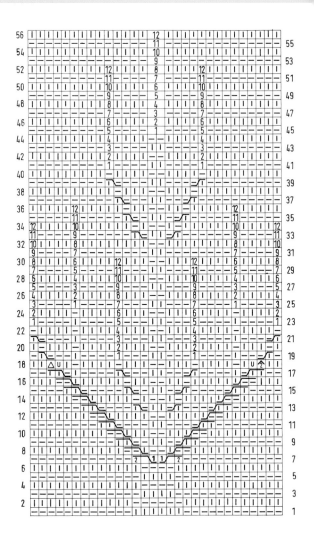

Hojas:

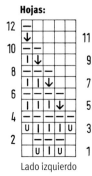

Lado izquierdo

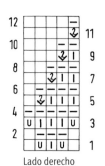

Lado derecho

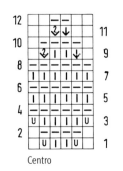

Centro

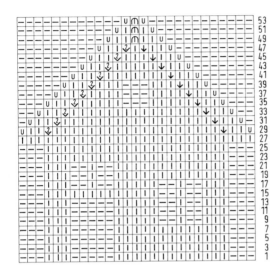

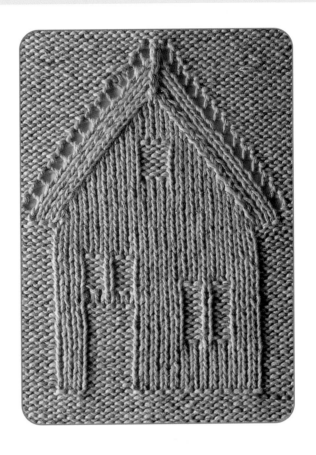

Motivo sobre 27 puntos, en fondo liso del revés.
En todas las pasadas del revés de la labor no dibujadas tejer los
puntos como aparecen, los arrollados se tejen del revés.

Motivo sobre 27 puntos, en fondo liso del derecho.
2.ª y todas las pasadas rectas: puntos del revés,
tejer los arrollados del revés.

Muestras de jacquard y noruegas

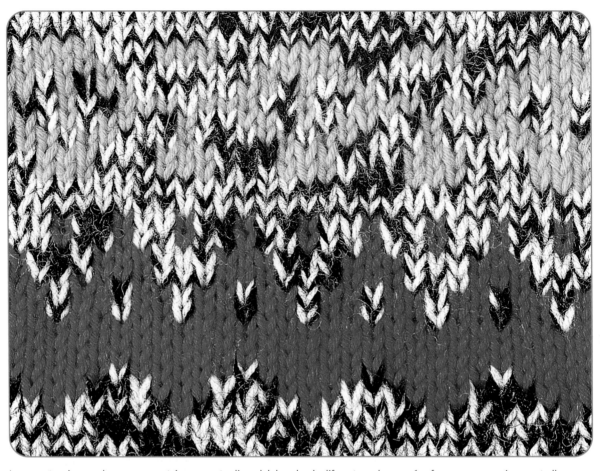

Las muestras jacquard y noruegas se tejen en puntos lisos del derecho de diferentes colores: así se forman unas preciosas estrellas, bordes decorativos, motivos con figuras, muestras gráficas y otros muchos motivos. Éstos se tejen según los esquemas con números. Cada línea representa una pasada. Cada cuadrícula simboliza un punto; cada símbolo, un color. Ver también los esquemas de puntos y los esquemas con números de la página 23.

Mini curso de punto

Parte delantera: poner el color de fondo y el decorativo alrededor del dedo índice de la mano izquierda. Tejer los puntos según la muestra con números. Los hilos que no se necesitan se dejan sin tensar en la parte de atrás de la labor.

Parte trasera: trabajar como la parte delantera, pero llevar los hilos por delante de la labor. Si las distancias son grandes procurar que los hilos estén uniformemente tensados. Los hilos no utilizados se sujetan o se mantienen alejados con la mano izquierda.

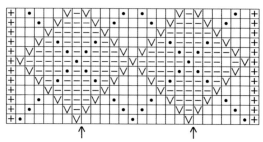

Número de puntos múltiplo de 12 + 3.
Repetir siempre las pasadas 1-12.
Los cuadrados se bordan posteriormente en punto de malla
(ver página 102), que se borda sobre 1 punto en sentido vertical
y horizontal.

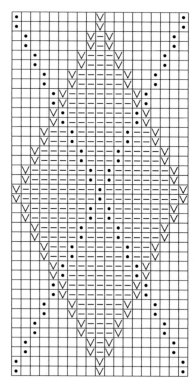

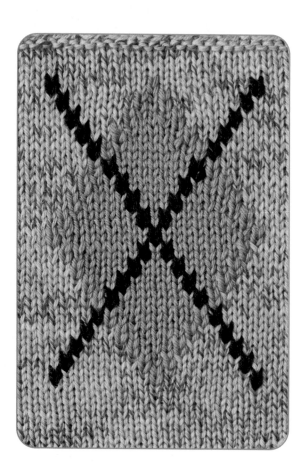

Motivo sobre 19 puntos y 38 pasadas.
Bordar posteriormente los cubre-cuadrados en punto de malla
(ver página 102) sobre 1 punto en sentido vertical y horizontal.

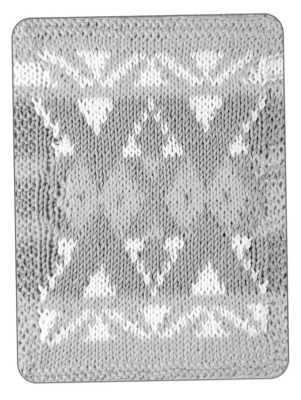

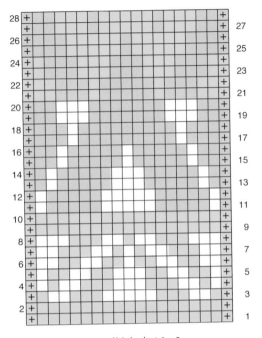

Número de puntos múltiplo de 16 + 3.
Tejer una vez las pasadas 1-28, luego tejer las pasadas 26-1 a la inversa.

$\boxed{+}$	= Punto orillo
▨	= 1 punto amarillo
☐	= 1 punto blanco
▨	= 1 punto verde claro

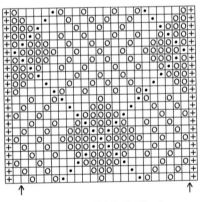

Número de puntos múltiplo de 22 + 3.
Repetir siempre las pasadas 1-22.
Los cubre-cuadrados se bordan a continuación en punto de malla (ver página 102) sobre 1 punto en sentido vertical y horizontal.

Número de puntos múltiplo de 34 + 3.
Trabajar una vez las 45 pasadas señalizadas.

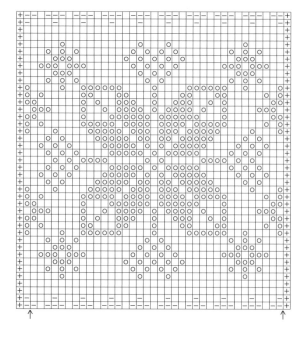

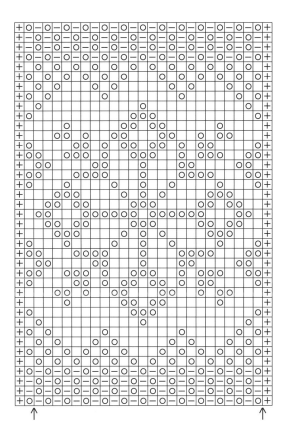

Número de puntos múltiplo de 24 + 3.
Trabajar una vez las 39 pasadas señalizadas.

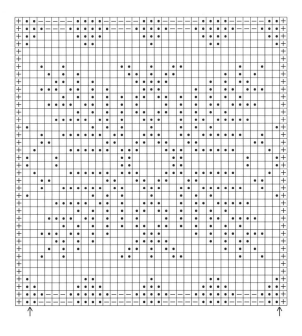

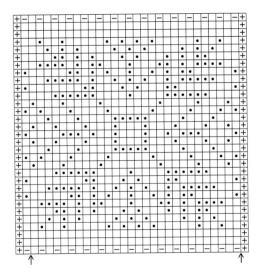

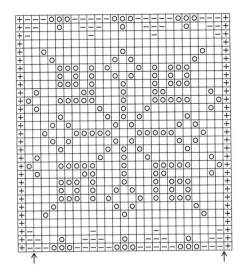

OTROS TÍTULOS PUBLICADOS

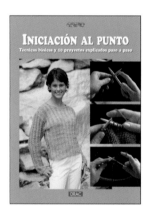

Bolas de Navidad
tejidas a Punto
32 PROYECTOS PASO A PASO

Sorprendentes
Gorros de Punto
13 PROYECTOS PASO A PASO

Bufandas de Punto
Modelos clásicos y modernos
15 PROYECTOS PASO A PASO

Decorar la casa con
accesorios de Punto
tejidos y fieltrados
27 PROYECTOS PASO A PASO

Complementos
tejidos a punto
17 PROYECTOS PASO A PASO

CREA CON PATRONES

Moda para niños
tejida a punto
CON PATRONES PARA REALIZAR 16 PROYECTOS

Tops de punto
para jóvenes Teens
18 PROYECTOS SUPERFÁCILES PASO A PASO

Calentadores
de Punto y Ganchillo
para piernas y brazos
14 PROYECTOS PASO A PASO

Bolsos
de Punto
20 MODELOS PASO A PASO

Bolsos extragrandes
de Ganchillo y Punto
13 PROYECTOS PASO A PASO

EL GRAN LIBRO DE
MUESTRARIO
DE GANCHILLO
Más de 200 muestras tejidas a ganchillo

CREADAS POR TI

Donatella Ciotti

GANCHILLO
Diseños de moda, fáciles y rápidos

FLORES DE GANCHILLO

SUZANN THOMPSON

MÁS DE 55 DISEÑOS FÁCILES DE HACER

Elegantes
Flores de Ganchillo

Más de 50 diseños fáciles de hacer

Nicky Epstein

AMIGURUMI

SORPRENDENTES MUÑECOS DE GANCHILLO

ana paula RÍMOLI

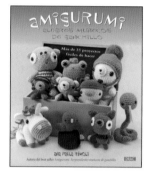

AMIGURUMI

NUEVOS MUÑECOS DE GANCHILLO

Más de 33 proyectos fáciles de hacer

ana paula RÍMOLI

Divertidos muñecos de ganchillo

Más de 35 animales, muñecas y Amigurumi

Nicki Trench

SERIE MUÑECOS DE GANCHILLO

Muñecos de ganchillo
Amigurumi

NELLI BOLGERT y RALPH KRUMBACHER

CON GRÁFICOS PARA REALIZAR 10 PROYECTOS

SERIE MUÑECOS DE GANCHILLO

Muñecos de ganchillo
MINIS AMIGURUMI

Llaveros, colgantes de móvil, de mochila ...

NELLI BOLGERT y RALPH KRUMBACHER

CON GRÁFICOS PARA REALIZAR 22 PROYECTOS

SERIE MUÑECOS DE GANCHILLO

Nuevos muñecos de ganchillo
MINIS AMIGURUMI

con cuentas, abalorios, cintas, botones...

NELLI BOLGERT y RALPH KRUMBACHER

CON GRÁFICOS PARA REALIZAR 22 PROYECTOS

Cuadrados de Ganchillo
Granny Squares

Más de 25 proyectos paso a paso

100 Mini figuras tejidas a Ganchillo

APLICACIONES FÁCILES y RÁPIDAS

KAMURAN SIMSEK

NUEVO MANUAL DE
GANCHILLO
TODO PARA LA MESA

DRAC

NUEVO MANUAL DE
GANCHILLO
CORTINAS Y COJINES

DRAC

Animales y figuras con Pompones

32 proyectos explicados paso a paso y con patrones en color

JASMIN ÜRÜM

DRAC 55001

CREA con PATRONES

SERIE POMPONES

Animales fáciles de hacer con POMPONES

JASMIN TÄUBNER

CON PATRONES PARA REALIZAR 13 PROYECTOS

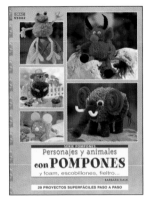

DRAC 55002

Personajes y animales con POMPONES

y foam, escobillones, fieltro...

BARBARA KALK

SERIE POMPONES

29 PROYECTOS SUPERFÁCILES PASO A PASO

DRAC 55003

CREA con PATRONES

SERIE POMPONES

Realizar animales con POMPONES combinando lanas de colores

JASMIN ÜRÜM

CON PATRONES PARA REALIZAR 11 PROYECTOS

DRAC 55004

SERIE POMPONES

Muñecos con pompones Amigurumi

WERNER SCHULTZE

20 PROYECTOS PASO A PASO

DRAC 55005

CREA con PATRONES

ANIMALES con POMPONES

y fieltro, cuentas, foam, escobillones...

JASMIN ÜRÜM

SERIE POMPONES

CON PATRONES PARA REALIZAR 18 PROYECTOS

DRAC 55006

CREA con PATRONES

Animales y muñecos con pompones Amigurumi

WERNER SCHULTZE

SERIE POMPONES

CON PATRONES PARA REALIZAR 12 PROYECTOS

DRAC 55007

CREA con PATRONES

Animales, flores y frutas con Pompones

JASMIN ÜRÜM

SERIE POMPONES

CON PATRONES PARA REALIZAR 12 PROYECTOS

Muñecos de fieltro Felties

18 originales proyectos explicados paso a paso

Nelly Pailloux

DRAC

Diseño y Moda DRAC

Aranzi Aronzo

Nuevos muñecos de fieltro Felties fáciles de hacer

Más de 40 proyectos paso a paso con sus patrones

Felties japoneses

Muñecos, animales, flores, letras... de fieltro

Más de 155 proyectos con sus patrones

Muñecos y accesorios con Fieltro

Más de 30 proyectos con sus patrones

Kimberly Layton

DRAC

El GRAN LIBRO de la COSTURA

MÁS DE 300 TÉCNICAS PASO A PASO · 18 PROYECTOS CREATIVOS
NUEVAS IDEAS DE CONFECCIÓN BÁSICA Y PROFESIONAL

ALISON SMITH

MANUAL COMPLETO DE Costura

TODAS LAS TÉCNICAS EXPLICADAS PASO A PASO

Diseño y Moda DRAC

Hacer Delicatessen de tela

con cintas, cuentas, abalorios, botones...

Christa Rolf

Diseño y Moda DRAC

Hacer elegantes Alfileteros de tela

Con aplicaciones, cintas, cuentas, botones...

Utilizar
Adaptar
Diseñar

Cómo utilizar, adaptar y diseñar Patrones de Costura

Una guía imprescindible para aprender a coser y sacar el máximo partido a los patrones de costura.
Desde cómo modificar hasta cómo diseñar patrones propios.

LEE HOLLAHAN

Costura fácil a máquina

Más de 20 proyectos con sus patrones a tamaño natural
LIBRO y DVD

Con DVD de 32 minutos

Isabella Beck

Costura para la casa fácil y rápida

50 proyectos con sus técnicas explicadas paso a paso

GLORIA NICOL   DRAC

Diseño y Moda DRAC

Beate Mazek

Costura para decorar la casa

Las labores de siempre con diseños actuales

Labores decorativas para la casa

Tone Finnanger   Tilda

Más de 35 proyectos paso a paso con sus patrones

Muñecos y adornos de tela

40 proyectos explicados paso a paso con sus patrones
para decorar la casa en cada estación del año

CON PATRONES A TAMAÑO NATURAL

DRAC   Heike Roland y Stefanie Thomas

Nuevos muñecos y adornos de tela

23 proyectos explicados paso a paso con sus patrones
para decorar las distintas habitaciones de la casa

CON PATRONES A TAMAÑO NATURAL

Heike Roland y Stefanie Thomas
Autoras del best seller Muñecos y adornos de tela   DRAC

DRAC 42G01   CREA con PATRONES

SERIE MUÑECOS DE TRAPO

REALIZAR MUÑECOS DE TRAPO FÁCIL Y RÁPIDO

CON PATRONES PARA REALIZAR 16 PROYECTOS

Más información sobre éstos y otros títulos en nuestra página web:

www.editorialeldrac.com